Teddy bear, teddy bear,

Show your shoe. 

Teddy bear, teddy bear,

That will do.

Teddy bear, teddy bear,

Turn around.

Teddy bear, teddy bear,

Touch the ground.

Teddy bear, teddy bear,

Climb the stairs.

Teddy bear, teddy bear,

Say your prayers.

Teddy bear, teddy bear,

Turn out the light.

Teddy bear, teddy bear,

Say good night.

uçlarında gayet dengeli bir şekilde, durumu değerlendirerek beklemeye başladı. Bizon yaklaşınca görmeyen gözünün olduğu tarafa çekildi ve hayvan onu göremez oldu, bir saniye önce bulunduğu yere doğru boynuzunu savurdu. Boynuz kırık ve körelmiş olmasa, muhtemelen Leon'un karnını deşerdi ve her ne kadar parmak uçlarında güzel bir dönüş yapmış olsa da kırık ucu gömleğine takılarak yırtıp geçti. Leon karnını içeri doğru çekince bizonun devasa gövdesi sürtünerek önünden geçip gitmiş, pantolonun paçalarına kanları bulaşmıştı.

Graf Otto, "Selam, boğa," diye bağırarak bizonu kızdırdı. Ayağa kalkmaya çalışıyordu, boş ciğerlerinin verdiği acıya rağmen sesi gülmekten boğuklaşmıştı. "Selam matador!" Tüfeğini almak için eğilirken hâlâ hırıltılı bir sesle gülüyordu.

Bizon ön bacaklarını gerip bekleyince Leon, "Vurun onu!" diye bağırdı.

Graf Otto da bağırarak, *"Nein!"* diye karşılık verdi. "O küçük mızrağı kullanışını görmek istiyorum." Elindeki tüfeğin namluları yere doğruydu. "Uçmayı öğrenmek istiyor musun? O zaman mızrağı kullanman gerek."

İlk atışı hayvanın arka bacağını kalçadan kırdığı için başarısız saldırısından sonra hemen toparlanamamıştı. Ama sonra aksayarak döndü ve tek gözünü yine Leon'a dikti. Dörtnala üstüne doğru koşmaya başladı. Leon bizonun ilk geçişinden bir şeyler öğrenmişti: mızrağı klasik Masai tarzında, yani uzun bıçağı eskrim kılıcı gibi ön koluyla aynı hizada tutarak bizonun iyice yaklaşmasını bekledi. Son anda yine kendini geri çekip hayvanın görüş alanından çıktı. Büyük siyah gövde bacaklarına sürtünerek önünden geçerken uzanıp kılıcı hayvanın kürek kemiklerinin arasına sapladı. Fazla derine itmeye çalışmamış, kendiliğinden girmesi için bırakmıştı. Jilet gibi keskin çeliğin postu o kadar kolay delmesine şaşırmıştı. Üç ayak, savrulan kara gövdenin altında kaybolurken oluşan şoku güçlükle hissetti. Mızrağın sapını tutan elini gevşetti ve bizonun, sırtındaki mızrağın verdiği acıyla başını iki yana savurarak geçip gitmesine izin verdi. O vah-

Leon acaba beni Graf'ın kıskanç öfkesinden korumaya mı çalışıyor diye merak etti. Eğer amacı buysa işe yaramıştı.

Graf Otto kıkırdadı. "Sen, bizon için üzül, benim için değil." Tüfeğini omuzladı ve başka bir şey söylemeden Masai'lerin peşinden çalıların arasına daldı. Leon da arkasından gitti ve sessizce ilerlediler.

Çalılar sık olduğu için üç bizon beslenmek için sürüden ayrılmışlardı ve izleri ileri geri gidip geliyordu. Onlar birinin peşinden giderken başka biriyle karşılaşmaları çok kolay olacağından ağır ağır, üç beş adımda bir durup etrafı kolaçan ederek yürüyorlardı. Yüz adım kadar gitmişlerdi, ki kırılan dalların çıtırtısını, ardından da yakından gelen hafif bir homurtu duydular. Manyoro tek elini kaldırdı, sessizce durup beklemelerini işaret etti. İnsana çok daha uzun gelen bir dakika boyunca hiçbir ses duyulmadı, sonra bitkiler hışırdadı. İri bir şey çalıları yara yara tam üstlerine doğru geliyordu. Leon, Graf Otto'nun koluna dokundu ve adam tüfeği omzundan indirip göğsüne dayayarak hazırlandı.

Aniden tam karşılarındaki çalılar aralandı ve bir bizonun başıyla omuzları ortaya çıktı. Yaralanmış ve hırpalanmış yaşlı bir hayvandı, bir boynuzu kırılmış, geride testere gibi çentikli bir kök kalmıştı, diğeri de sürekli ağaç gövdelerine, akkarınca yuvalarına sürtünmekten adeta körelmişti. Boynu kemikli ve yer yer kelleşmişti. Onlara yakın olan gözü beyaz ve camı andırıyordu, iltihap yüzünden tamamen kördü. Hayvan önce onları görmedi. Bir süre öylece durdu ve ağzından salyalar akarken çenesini oynatmaya devam etti. Göğsüne inen iltihap yüzünden gözüne üşüşen sinekleri kovalamak için başını sallıyordu.

Leon, zavallı ihtiyar kör, diye düşündü. Kafasına bir mermi sıkmak gerçekten onun için iyilik olacaktı. Graf Otto'nun koluna dokundu. "Yapın," diye fısıldadı ve kendini silah sesine hazırladı. Ama ondan sonra olacaklara hiç hazırlıklı değildi.

Otto başını arkaya atıp, "Gel bakalım! Ne kadar tehlikeli olabileceğini göster bize!" diye bağırdı. Sonra bizonun başının üstüne tek el ateş etti. Hayvan ani bir hareketle onlara doğru döndü. Sağlam gözüyle bakıp hayretle böğürdü ve dönüp kaçmaya başladı. Dörtnala koşarak tekrar çalılığa daldı. Tam o anda, hayvan gözden kaybolmadan Graf Otto bir el daha ateş etti.

Leon bizonun sağrısından, lekeli gri postunun altından görünen boğum boğum omurganın bir karış solundan kalkan tozu gördü. Kaçan hayvanın ardından dehşetle baktı. Gördüklerine inanamadığını belli eden bir ses tonuyla, "Onu bilerek yaraladınız!" dedi.

"*Jawohl!* Tabii ki. Biraz spor yapmak için yaralı olması gerektiğini söylemiştin. Eh, artık yaralı ve diğer ikisini de gıdıklamayı düşünüyordum!" Leon şoku atlatamadan Graf Otto vahşi bir savaş çığlığı daha attı ve yaralı hayvanın peşine düştü. İki Masai de Leon kadar şaşkındılar ve üçü hayretle durup Alman'ın arkasından bakakaldılar.

Loikot şaşkın bir sesle, "Deli o," dedi.

Leon acı içinde, "Evet öyle," dedi. "Sesini dinleyin."

Tam karşılarındaki çalılarda bir arbede yaşanıyordu: tepinen toynaklar, kırılan dallar, kızgın ve korku dolu homurtular, tüfek patlamaları, ağır mermilerin ete ve kemiklere çarparken çıkardığı boğuk sesler. Leon, Graf Otto'nun yaralamak üzere üç bizona da ateş ettiğini anlamıştı. Masai'lere döndü. "Artık burada yapabileceğiniz hiçbir şey yok. Kichwa Muzuru bira çanağını paramparça etti. Arabaya dönün," diye emir verdi. "Hanım Sahip'e göz kulak olun."

"M'bogo bu büyük bir aptallık. Ya hep birlikte oraya gideriz ya da hiç gitmeyiz."

Bir tüfek patlaması daha duyuldu ve ardından bir bizonun feryadı yükseldi. Leon en azından biri gitti, diye düşündü, ama iki tane daha vardı. Tartışmanın ne yeri, ne de zamanıydı. "Gelin o zaman," diye çıkıştı. Koştular ve çalıların ortasındaki küçük açıklığın kenarında duran Graf Otto'nun yanına geldiler. Ayağının dibinde ölü bizonun leşi duruyordu. Arka bacakları hâlâ spazm geçiriyordu. Hayvan açıklığa girdiği anda saldırmıştı. O da beynine bir kurşun sıkmıştı.

Graf Otto soğuk bir tavırla, "Yanılmışsın Courtney. O kadar da tehlikeli değillermiş," dedi, bir yandan da tüfeğini dolduruyordu.

Leon, "Kaç tane daha yaraladınız?" diye bağırdı.

"İkisini de tabii ki. Merak etme. Hâlâ uçmayı öğrenme şansın var."

"Cesaretinizi kuşku bırakmayacak şekilde kanıtladınız efendim. Şimdi tüfeğinizi bana verin de işlerini bitireyim."

"Erkek işlerini asla çocuklara bırakmam Courtney. Üstelik, senin o güzel mızrağın var. Ne diye tüfeğe ihtiyacın olsun ki?"

"Birinin ölümüne yol açacaksınız."

"*Ja,* belki. Ama o kişi ben olmam herhalde." Açıklığın karşısındaki çalılara doğru koştu. "Bir tanesi buraya kaçtı. Kuyruğundan çekmeye gidiyorum."

Onu durdurmaya çalışmak boşunaydı. Graf Otto açıklığın sonuna yaklaşırken Leon nefesini tuttu.

Yaralı bizon ilk bitki grubunun arkasında onu bekliyordu. Adamın yaklaşmasına izin verdi, sonra sadece beş metre uzaktan saldırıya geçti. O saldıramadan çalılar bir anda paramparça oldu. Graf Otto hemen tüfeğini omzuna kaldırmıştı ve ateş ettiğinde namlular neredeyse hayvanın ıslak siyah burun deliklerine değiyordu. Beynine iyi bir atış daha yaptı. Bizonun ön bacakları geriye büküldü. Yine de yaptığı atağın verdiği hızla çığ gibi işkencecisinin üstüne yığıldı. Graf Otto arkaya doğru uçarken tüfek elinden fırladı ve adam sırtüstü yere çarptı. Leon çarpmayla ciğerlerinden boşalan havanın sesini duymuştu. Leon yardımına koşarken o da acıyla doğrulmuş soluyordu.

Manyoro uyarmak için arkasından bağırdığında Leon açıklığın ortasına varmıştı. "Solunda M'bogo. Diğeri geliyor!"

Leon soluna doğru baktı ve üçüncü yaralı bizonun üstüne doğru geldiğini gördü, o kadar yakındı ki boynuzlarını takmak için başını eğmeye başlamıştı bile. Hayvanın cerahatli gözünü gördü bu, Graf Otto'nun ilk ateş ettiği bizondu. Leon hayvanı karşılamak üzere döndü ve toparlandı, parmak şi çırpınışlar yüzünden çeliğin hayvanın göğsüne kadar inip kalbini ve akciğerlerini parçalayışını gördü.

Erkek bizon yine açıklığın kenarında durdu. Hâlâ Leon'u bulmaya çalışıyordu. Leon kıpırdamadan bekledi. Bizon sonunda nerede olduğunu anlayarak ona doğru döndü, ama hareketleri yavaş ve sarsaktı. Yalpaladı ama yine de Leon'a doğru koştu. Ona ulaşmadan önce ağzını açıp hafif bir sesle uzun uzun böğürdü. Ağzından koyu bir kan geldi ve dizlerinin üstüne düştü. Sonra da yavaşça yana devrildi.

Graf Otto, "Oley!" diye bağırdı ama bu sefer sesinde alay tınısı yoktu ve Leon, ona bakınca adamın gözlerinde yeni bir saygı ifadesi gördü.

Manyoro ağır ağır bizonun yattığı yere gitti. Eğildi ve iki eliyle hayvanın kürek kemiklerinin arasındaki *assegai*'yi kavradı. Doğruldu, arkaya ve kanlı çeliği yaradan çekip çıkardı. Sonra mızrakla Leon'u selamladı. "Sana şükürler olsun. Kardeşin olmaktan gurur duyuyorum."

Kampa dönünce Graf Otto kahvaltıyı kutlamaya dönüştürdü. Masanın başına çöküp salamları ve yumurtaları aç kurtlar gibi midesine indirirken, bol bol konyakla lezzetlendirdiği kahvesini içerek, Eva'ya avın oldukça renklendirilmiş bir özetini yaptı. Uzun uzun anlattığı öyküsünün sonunda Leon'a da şöyle bir değinip geçti. "Geride sadece tek gözü kör bir hayvan kalınca onu da Courtney'e havale ettim. Tabii hayvan o kadar kötü yaralanmıştı ki tam bir cesaret gösterisi sayılmazdı, ama yine de tam bir erkek gibi davranıp üstüne düşeni yaptığını söylemeliyim."

O sırada çadırın dışındaki ani hareketlenme dikkatini çekti. Hennie du Rand'la post yüzücüler bir at arabasına biniyorlardı. Ellerinde baltalar ve kasap bıçakları vardı. "Ne yapıyor bu insanlar Courtney?"

"Ölü bizonlarınızı getirmeye gidiyorlar."

"Niçin? Senin de dediğin gibi kafaları işe yaramaz, etleri de kartlaştığı için yenmez."

"Tütsülenip kurutulunca hamallarla diğer işçiler afiyetle yerler. Bu ülkede et çok değerlidir."

Graf Otto peçeteyle ağzını silip ayağa kalktı. "Seyretmek için onlarla gideceğim."

Bu da onun tipik kendine has kararlarından biriydi, ama Leon yine de şaşırmıştı. "Elbette, ben de sizinle geleyim."

"Buna gerek yok Courtney. Sen burada kalıp Nairobi'ye dönüş uçuşu için *Kelebek*'e yakıt konmasını izleyebilirsin. Fräulein von Wellberg'i de yanıma alacağım. Kampta oturmaktan sıkılmış."

Leon, bana biraz fırsat versen onu eğlendirmek için elimden geleni yapardım, diye düşündü ama kendini tuttu. "Nasıl isterseniz Graf," diye cevap verdi.

Hennie sadece leşlerin olduğu yere kadar bile olsa, eski arabada böyle önemli konukları olduğu için ne yapacağını bilemiyordu. Şoför mahalline tırmanınca Graf Otto bir puro ikram ederek onu biraz rahatlattı. Birkaç nefes çektikten sonra Hennie, adamın sorularına utangaç bir şekilde mırıldanmak yerine doğru dürüst cevaplar vermeye başlamıştı.

"Eee... du Rand, sen Güney Afrikalıymışsın, *ja?*"

"Hayır efendim. Ben Boer'im."

"Farklı bir şey midir?"

"*Ja,* çok farklıdır. Güney Afrikalılar İngiliz kanı taşır. Benim kanım saftır. *Seçilmiş* bir kabiledenim."

"Sanki İngilizlerden pek hoşlanmıyormuş gibisin."

"Bazılarını severim. Mesela patronum Leon Courtney'i. O iyi bir *Sout Piel*'dir."

"*Sout Piel* mi? O da nedir?"

Hennie mutsuz bir şekilde Eva'ya baktı. "Bu erkekler arası bir konu efendim. Genç hanımların kulaklarına göre değil."

"Merak etme. Fräulein von Wellberg İngilizce bilmez. Söyle bakayım neymiş?"

"'Tuzlu penis' anlamına gelir efendim."

Graf Otto şakayı beğenip sırıtmaya başlamıştı. "'Tuzlu penis' ha? Bunun ne olduğunu biraz anlatır mısın bana."

Hennie, "Bir ayakları Londra'da, diğeri Cape Town'dadır, penisleri de Atlantik'te sallanır," dedi.

Graf Otto sesli bir kahkaha patlattı. *"Sout Piel! Ja.* Sevdim bunu! Güzel espriymiş." Kıkırdamaları kesildi ve sonra kaldıkları yerden konuya devam etti. "Demek İngilizleri sevmiyorsun? Onlara karşı savaştın değil mi?"

Hennie aracı kötü bir yerden dikkatli bir şekilde geçirirken soru üzerinde biraz düşündü. Sonunda, "Savaş bitti," dedi, sesi düz ve tarafsızdı.

"Ja, bitti ama kötü bir savaştı. İngilizler çiftliklerinizi yakıp sığırlarınızı katlettiler."

Hennie cevap vermedi ama bakışları gölgelendi. "Kadınlarınızı çocuklarınızı kamplara tıktılar. Birçokları oralarda öldü."

Hennie, *"Ja.* Doğru," diye fısıldadı. "Çok fazla insan öldü."

"Artık topraklar harap oldu ve çocukların yiyeceği yok, senin kabilen de İngilizlerin kölesi oldu, *nein?* Sen de o yüzden aralardan ayrıldın, anılarından kaçmak için."

Hennie'nin gözleri yaşarmıştı. Nasırlı başparmağıyla sildi.

"Hangi komandolarla birlikteydin?"

Hennie ilk kez adamın yüzüne baktı. "Ben komandolarla birlikteydim demedim ki."

Graf Otto, "Dur tahmin edeyim," dedi. "Belki Smuts'la birlikteydin."

Hennie tatsız bir şey duymuş gibi başını salladı. "Jannie Smuts kendi halkına ihanet etti. O ve Louis Botha taraf değiştirdiler. Bizim haklarımızı İngilizlere satıyorlar."

Graf Otto, sorusunun cevabını çok önceden bilen biri gibi. "Ah!" dedi. "Smuts'la Botha'dan nefret ediyorsun. O zaman kiminle olduğunu anladım.

Koos de la Rey olmalı." Cevabını beklemedi. "Söylesene du Rand, General Jacobus Herculaas de la Rey nasıl biriydi? Büyük bir asker olduğunu duymuştum, Louis Botha'yla Jannie Smuts'un daha iyiymiş. Doğru mu?"

"Sıradan biri değildi." Hennie gözünü yola dikmişti. "Bizim için bir tanrıydı."

"Bir daha savaş çıksa yine de la Rey'in peşinden gider miydin Hennie?"

"Cehennemin kapısına kadar giderim onun peşinden."

"Sizin diğer komandolar da gider miydi?"

"Giderdi. Hepimiz giderdik."

"De la Rey'le bir daha karşılaşmak ister misin? Elini bir daha sıkmak ister misin?"

Hennie, "Bu mümkün değil," diye mırıldandı.

"Benimle her şey mümkündür. Her şeyi yapabilirim. Kimseye bir şey söyleme. Hatta o sevdiğin *Sout Piel* patronuna bile. Bu sadece ikimizin arasında. Yakında bir gün seni yanıma alıp General de la Rey'i görmeye götüreceğim."

Eva, Graf Otto'nun yanına sıkışmıştı. Belli ki rahat değildi ve anlamadığı dilde yapılan konuşmadan sıkılmıştı. Graf Otto, onun sadece Almanca ve Fransızca bildiğini düşünüyordu.

Leon, Gustav'ın büyük Meerbach kamyonla Nairobi'den getirdiği yüz doksan litrelik varillerin birinden *Kelebek*'e yakıt koydu. Kendisi bu işle meşgulken, Manyoro'yla Loikot'u da belki ilginç bir haber çıkar diye kampın üstündeki tepeye, Masai dedikodularını dinlemeye göndermişti. *Chungajiler* bir tür sözel steno kullanıyordu ve Leon birkaç kelimesini anlasa da bütün haberleşmeyi takip edemiyordu.

Kelebek'in dört yakıt tankını da doldurup, çadırının önündeki yalakta ellerini yıkandıktan sonra iki Masai tepeden indiler. Duydukları birkaç ilginç haberi anlatmaya başladılar.

Geleçek dolunayda, yılın bu mevsiminde âdet olduğu üzere Lusimâ'nın, Lonsonyo Dağı'nda yapılacak Masai kabileleri arası yaşlılar konferansına başkanlık edeceği söyleniyordu. Atalarına beyaz bir inek kurban edecekti. Kabilenin refahı bu ritüellerin yerine getirilmesine bağlıydı.

Ayrıca Nandi savaşçılarının bir akın yaptığı söyleniyordu. Masai sığırlarının en iyilerinden otuz üç tanesini kaçırmışlardı, ama intikam peşindeki *morani*'ler onları Tishimi Nehri'nin kıyısında yakalamışlardı. Bütün sığırlarını geri alıp, hırsızların cesetlerini nehre atmışlardı. Timsahlar da gerisini halletmişti. O sırada bölge komiseri de Narosura'da bir soruşturma yürütüyordu, ama bütün bölge hafıza kaybına uğramış gibiydi. Kimsenin çalınan sığırlardan ve Nandi savaşçılarından haberi yoktu.

Bir de Rift Vadisi'ne Keekorok yönünden dört tane genç erkek aslan geldiği söyleniyordu. Büyük, hakimiyeti olan bir erkekten dayak yiyip geldikleri yere sürülmüşlerdi: dişilerinin döllenmesi konusunda rekabete tahammülü yoktu. İki gece önce bu genç aslanlar Lonsonyo Dağı'nın batısındaki *manyatta*'da altı tane düve öldürmüştü. *Morani*'ler, Sonjo adındaki bu köye çağırılmıştı. Gidip bu sığır katili aslanlarla hesaplaşacaklardı.

Leon bu habere memnun oldu. Graf Otto törensel bir av görmek için çok ısrar etmişti ve bu iyi bir tesadüf olmuştu. Manyoro'yu aslan avcılarını ağırlayan Sonjo köyüne yolladı, yanına da şefe verilmek üzere yüz şilinlik bir armağan vardı, şeften *wazungu*'nun avı izlemesine izin vermesini rica ediyordu.

Graf Otto, Hennie ile birlikte bizon leşlerinin yanından döndüğünde, Leon atları eyerletmiş ve yük katırları Sonjo gezisi için gerekli malzemeler yüklenmiş hazır bekliyorlardı. Müşterisi arabadan inerken Leon hemen iyi haberi verdi.

Graf Otto heyecanlanmıştı. "Çabuk Eva! Binici kıyafetlerimizi giyip bir an önce gitmemiz gerek. Bu gösteriyi kaçırmak istemiyorum."

Atları eşkin sürerek ilerlediler, kırk kilometre kadar gittikten sonra karanlık çökmeye başladı. Atlardan inip eyerleri çıkardılar. Soğuk bir akşam yemeği yedikten sonra basit bir düzende uyudular. Ertesi sabah tekrar yola koyulduklarında daha ortalık tam aydınlanmamıştı.

Sonraki gün vakit öğle olmak üzereyken Sonjo köyüne yaklaşmışlardı ve tamtamlarla şarkıları duymaya başladılar. Manyoro yolun kenarına çömelmiş onları bekliyordu. Kalkıp atlıları karşılamaya geldi. "Her şey ayarlandı M'bogo. *Manyatta*'nın şefi avı siz gelene kadar ertelemeyi kabul etti. Ama acele etmeniz gerek. *Morani*'ler sabırsızlanmaya başladı. Mızraklarını kana bulayıp onur kazanmak için acele ediyorlar. Şef onları daha fazla zapt edemeyecek."

Morani'ler sığır ağılının ortasında toplanmıştı, yaşlılar tarafından en gözü pek ve en iyiler arasından seçilmiş bir gruptular. Fildişinden boncuklar ve deniz kabuklarıyla süslü minik deri etekler giymiş elli tane genç güçlü erkek. Çıplak gövdeleri yağ ve aşıboyasıyla pırıl pırıl parlıyordu. Saçları örgüler halinde kıvrılmıştı. Yağız, kolları ve bacakları uzun, vücutları sıkı ve kaslıydı. Keskin yakışıklı hatları, parlak gözleri, hırslı bakışları vardı. Avın bir an önce başlamasını istediklerini belli ediyorlardı.

Omuz omuza tek sıra halinde dizilmişlerdi. Başlarında, eteğinde beş tane aslan kuyruğu asılı olan tecrübeli bir savaşçı vardı, bu kuyrukların her biri teke tek dövüşte öldürdüğü Nandi'leri temsil ediyordu. Savaş başlığı siyah yeleli bir aslanın kafa derisindendi ve bu da büyük bir cesaretin ifadesiydi. *Assegai*'sini kullanarak tek eliyle bir aslan öldürmüş demekti. Boynundaki sırımın ucunda kızıl geyik boynuzundan yapılmış bir işaret borusu asılıydı.

Daha yaşlı erkeklerle kadın ve çocuklardan oluşan birkaç yüz kişilik grup, dansı izlemek için dış halkaya dizilmişti. Kadınlar el çırpıp feryat ediyorlardı. *Manyatta*'ya üç beyazın girmesiyle tamtamlar daha da vahşi ve çılgın bir ritmle çalmaya başladı. Tamtam çalanlar içi oyuk kütüklere vurdukça, savaşçılar daha vahşileşiyor, şarkı söyleyip, kasılmış bacaklarıyla havaya sıçrayıp yere inerken aslan gibi homurdanarak aslan dansı yapıyorlardı.

Sonra liderleri borusuyla tiz bir ses çıkardı ve grup tek sırayı bozmadan ağıldan dışarı çıkmaya başladı. Düzgün aralıklarla uzun, kavisli bir yılan gibi yeşil yamaçtan aşağı inerlerken, *assegai'*lerinin çeliği güneşte pırıl pırıl parlıyordu. Omuzlarında da, her birinde kenarları siyah ve kırmızı aşıboyasıyla boyanmış, gözbebeği ortada bembeyaz ışıldayan birer göz bulunan uzun, ham deriden kalkanları vardı.

Eva, "Kalkanlarında neden göz var Otto?" diye sordu.

"Soruya cevap ver Courtney."

"*Morani'*ler bununla aslanları saldırmaya teşvik ettiklerini söylerler. Gelin, geride kalmamamız gerek. Her şey çok çabuk olup biter." Atlılar da uzun savaşçı kafilesinin peşine düştü.

Graf Otto, "Avı nerede bulacaklarını nereden biliyorlar?" diye sordu.

Leon, "Aslanları gözleyen öncüleri var," dedi. "Ama aslanlar uzağa gitmez zaten. Altı tane sığır öldürmüşler, bütün eti bitirmeden başından ayrılmazlar."

Manyoro, Leon'un üzengisinin yanında koşuyordu. Bir şeyler dedi ve Leon eğerden eğilip onu dinledi. Doğrulunca Graf Otto'ya, "Manyoro ölü sığırların karşı tepenin ardındaki sığ havzada yattığını söylüyor," dedi. Eliyle ileriyi gösterdi. "Sağa dönüp şu yüksek yerde beklersek bütün manzaraya hâkim oluruz." Öne düşüp yoldan ayrıldı ve *morani'*lerin önüne geçmek için geniş bir daire çizip söz ettiği noktaya ulaştılar, o sırada uzun savaşçı kafilesinin başı da tepeyi aşıp havzaya doğru inmeye başlamıştı.

Manyoro iyi bir öneride bulunmuştu. Kenarda atlarını dizginleyince yemyeşil vadiyi rahatlıkla gördüler. Çürüyen sığır leşleri karınları gazla şişmiş yatıyordu. Kimileri kısmen parçalanmıştı ama geri kalanına el değmemiş gibiydi.

Şimdi tek sıra halindeki savaşçılar pozisyon değiştiriyordu. Önceden belirlenmiş noktaya gelince her *morani* önündeki adamın aksi yönüne dönmüştü. Usta dansçılardan oluşan bir gösteri ekibi gibi, tek sırayı iki sıra haline getirmişlerdi. Bu iki eşit sıra da yeşil düzlüğü kuşatacak bir ilmek şeklinde açıldı. Sonra, keskin bir boru sesi duyuldu ve savaşçıların başları birleşmeye başladı. Manevra çabucak tamamlanmıştı. Havza kalkanlardan ve mızraklardan oluşan bir duvarla çevrilmişti.

Eva, "Aslanları göremiyorum," dedi. "Kaçmadıklarından emin misiniz?"

Fakat iki adamın cevap vermesine fırsat kalmadan, bir aslan ayağa kalktı. Daha önce yere yapışık yattığı için güneşten kavrulmuş otların arasında belli olmuyordu. Genç olduğu halde iri ve uzundu. Yelesi kısa ve seyrekti, kızıl kıllardan oluşan cılız bir topak halindeydi. *Morani'*lere hırlarken dudakları gerilmiş, uzun, parlak dişleri ortaya çıkmıştı.

Onlar da karşılık verdiler: "Seni görüyoruz şeytan! Seni görüyoruz sığır katili!"

Elli kişinin sesi diğer aslanları da harekete geçirdi. Kısa otların arasında saklandıkları yerden çıkıp, ateş püsküren sarı topaz gözleriyle kalkanların oluşturduğu halkaya bakmaya başladılar. Kuyrukları sinirle kıvrılmış, korku ve öfke içinde hırlayıp kükrüyorlardı. Hepsi de gençti ve böyle bir durum tecrübelerini aşıyordu.

Geyik boynuzunun tiz sesi tekrar duyuldu ve *morani'*ler aslan şarkısını söylemeye başladılar. Sonra, şarkı söylemeye devam ederek, hep birlikte, ayaklarını sürüyüp yere vurarak ilerlediler. Dört aslanı ağır ağır avını boğan bir piton gibi kuşattılar. Aslanlardan biri duvara saldırır gibi yapınca *morani'*ler kalkanlarını sallayarak, "Gel! Gel! Seni karşılamaya hazırız!" diye bağırdılar.

Aslan geri çekildi. Gergin ön bacaklarının üstünde büzüldü. Adamlara baktı, sonra dönüp koşarak kardeşlerinin yanına gitti. Aslanlar huzursuzca dolanmaya, kükreyip yelelerini dikerek kalkan duvarına karşı küçük ataklar yapıp sonra geri kaçmaya başlamıştı.

"Kızıl yeleli olan saldıracak önce." Graf Otto bu fikrini dile getirirken, dört aslanın en büyüğü hızlı, kararlı bir atakla kendini doğruca kalkanların üstüne attı. Siyah yeleli başlık takmış olan kıdemli *morani*, geyik boynuzundan borusuyla bir ses çıkarttı. Sonra da mızrağıyla tam aslanın karşısındaki adamı gösterdi. Bağırarak adamın ismini söyledi: "Katchikoi!"

Seçilen savaşçı verilen onuru kabul ederek havaya sıçradı, sonra sıradan ayrılıp, uzun adımlarla saldıran aslanı karşılamamak için koştu. Arkadaşları vahşi sesler çıkararak onu coşturuyordu. Aslan, adamın geldiğini gördü ve o tarafa döndü. Her adımda hırlayarak, yere yapışmış vaziyette ilerlemeye başladı, püsküllü kuyruğunu böğrüne çarpıyordu. Parlak sarı gözleri Katchikoi'ye kilitlenmişti.

Birbirlerine yaklaşınca *morani* atağının yönünü değiştirip, aslana doğru döndü ve onu mızrağı tuttuğu sağ koluna saldırmaya zorladı. Sonra kalkanının ardında tek dizinin üstüne çöktü. *Assegai'*sinin ucu aslanın göğsünün ortasına nişanlanmıştı ve hayvan da doğruca çeliğe koşuyordu. Uzun gümüş mızrağı sihirli bir hızla gözden kayboldu ve olduğu gibi koyu kumral gövdeye saplandı. Katchikoi sapı elinden bırakıp bıçağın iyice derine inmesini sağladı. Ham deriden yapılmış kalkanını kaldırınca aslan başını kalkana çarptı. Adam büyük kedinin ağırlığına ve hızına karşı koymaya çalışmadı, aksine arkaya doğru yuvarlandı ve kalkan tutan bir top halinde büzüldü. Göğsünü delip geçen *assegai'*ye rağmen aslanın gücü de öfkesi de azalmamıştı. İki pençesiyle birden kalkana saldırdı ve büyük parçalar kopardı. Bir yandan korkunç bir şekilde kükrüyor ve kalkanı ısırmaya çalışıyordu, ama deri demir gibi sertleşmiş olduğu için dişlerini geçiremiyordu.

Avın lideri borusunu yine öttürdü ve Katchikoi'nin dört arkadaşı daha çemberden ayrılıp ileri doğru koştular, sonra da ikişer ikişer ayrıldılar. Aslan bütün çabasını Katchikoi üstünde yoğunlaştırdığı için adamlar etrafını sarana kadar geldiklerini fark etmedi. Savaşçıların *assegai'*leri hızla inip kalkmaya başladı, uzun mızraklarını hayvanın hayati organlarına saplıyorlardı. Hayvan, net bir şekilde atlıların da kulağına gelen güçlü bir inlemeden sonra çöktü ve kalkanı bıraktı. Yere devrilip hareketsiz kaldı.

Katchikoi hemen ayağa fırlayıp *assegai'*sinin sapını yakaladı, bir ayağını aslanın göğsüne dayayıp bıçağı çıkardı. Kanlı çeliği havada sallayarak dört arkadaşıyla birlikte koşup çemberdeki yerini aldı. Savaşçılar onları gökyüzüne yükselen tezahürat çığlıklarıyla ve mızraklarını havaya kaldırarak karşıladı. Sonra *morani* çemberi geri kalan üç aslanı biraz daha sıkıştıracak biçimde ilerledi. Çember daraldıkça savaşçılar etten bir duvar haline geldi, kalkanları birbirinin üstüne geçti.

Ortada üç aslan ileri geri koşuyor, kaçış yolu arıyordu. Saldırıyorlar, sonra vazgeçip kuyruklarını bacaklarının arasına kıstırmış olarak geri dönüyorlardı. Sonunda bir tanesi cesaretini toplayıp saldırdı. Onu karşılayan *morani assegai'*sini tam yerine sapladı, ama geri çekilirken aslan kalkanını parçaladı ve pençeleriyle adamın başını ve çıplak gövdesini paraladı. Ölümcül bir şekilde yaralanmış olan aslan pençeleri göğsünü yararken, çenesini ardına kadar açıp adamın başını kaptı. Uzun çeneli dişleri birbirine kenetlendi ve savaşçının kafatasını ceviz gibi kırdı. Ölen adamın arkadaşları intikam hırsıyla hayvanı mızraklamaya başladılar.

Son iki aslan da ani bir atakla ön sıradaki savaşçıların üstüne atıldılar ve kayaya çarpan dalgalar gibi geri püskürtüldüler. Hayvanlar hırlayarak, pençeleriyle havayı paralayarak mızrakların altında can verdiler.

Sünnet kardeşleri ölen savaşçının cesedini yerden alıp kalkanının üstüne yatırdılar. Sonra, kalkanı kollarının üzerinde havadan taşıyarak, dua şarkısı eşliğinde evine taşıdılar. Tepedeki seyircilerin önünden geçerlerken, Graf Otto naşı selamlamak üzere sıkılı yumruğunu kaldırdı. *Morani'*ler de *assegai'*lerini kaldırıp vahşi naralarla selamı aldılar.

"Bir adamın ölümüyle ölen bir adam vardı." Leon daha önce onun böyle vakur bir ciddiyetle konuştuğunu hiç duymamıştı ve bir şey demedi. Üçü de bu ulvi trajediden çok etkilenmişti. Sonra Graf Otto yeniden konuşmaya başladı. "Bugün tanık olduğum şey, avla ilgili tüm inançlarımı saf dışı bıraktı. Böyle muhteşem bir hayvanla elimde sadece bir mızrak varken karşılaşmadıktan sonra kendimi nasıl gerçek bir avcı sayabilirim?" Eğerinde dönüp Leon'a baktı. "Bu bir rica değil Courtney, emirdir. Bana bir aslan bul, yetişkin, siyah yeleli bir aslan. Onunla ata binmeden karşılaşacağım. Tüfeksiz. Sadece hayvan ve ben."

O gece Sonjo köyüne kamp kurdular ve aslanın öldürdüğü savaşçıya ağıt şeklindeki tamtamları, kadınların ağlamalarını, adamların şarkılarını dinleyerek uyuyamadan yattılar.

Şafak sökmeden yine at sırtındaydılar. Güneş, Rift Vadisi üstünden doğup da altın rengi ve kızıl ışıklarıyla doğuyu aydınlatınca, gözleri kamaştı. Sıcaktan paltolarını çıkarıp, kollarını sıvayarak yola devam ettiler. Bir şekilde güneşin doğuşu aslan avının hüznünü dağıttı. Duyguları canlandı, ruh halleri değişti ve keyifle etraflarındaki güzelliklere bakmaya, daha önce fark etmedikleri küçük şeylerden zevk almaya başladılar: ok gibi geçip giden bir yalıçapkınının masmavi göğsü, yükseklerde uçan bir kartalın zarafeti, ön bacaklarının üstünde anasının karnının önünde çökmüş, oburca memelerini çekiştiren, ağzından süt sızan yavru bir ceylan. Yavru kocaman yumuşak gözleriyle hiç korkmadan onların geçişini izliyordu.

Bu ruh hali Eva'ya da bulaşmıştı. Binici kırbacıyla göstererek, "Ah Otto! Otları koklayarak okuma gözlüğünü kaybetmiş bir ihtiyar gibi dolaşan şu küçük yaratığı gördün mü? Nedir o?" diye bağırdı.

Her ne kadar Graf Otto'ya hitap etmiş olsa da, onun bu anı sadece kendisiyle paylaştığına dair bir hisse kapılan Leon, "O bir bal porsuğu Fräulein," diye cevap verdi. "Sevimli gibi görünse de Afrika'daki en vahşi yaratıklardan biridir. Hiç korkmaz. İnanılmaz güçlüdür. Postu o kadar serttir ki arılara ve çok daha büyük hayvanların dişlerine, pençelerine bile dayanır. Aslan bile fazla yanına yaklaşmaz. Bu hayvana sataşmak tehlikelidir."

Eva menekşe gözleriyle ona bir bakış fırlatıp, tatlı bir kahkaha atarak Graf Otto'ya döndü. "Tıpkı sana benziyormuş. Bundan sonra seni bal porsuğum diye çağıracağım."

Leon acaba hangimize söylüyor, diye merak etti. İnsan bu kadınla hiçbir şeyden emin olamazdı. Mutlaka esrarengiz ya da iki anlama gelen şeyler söylüyordu. Leon kararını veremeden Eva üzengilerinin üstünde kalkıp güney ufkuna doğru bir yeri işaret etti. "Şuradaki dağa bakın!" Yükselen güneş düz tepeli dağı iyice belirgin hale getirmişti. "Bu üstünden geçtiğimiz dağ olmalı, hani şu Masai kâhininin yaşadığı dağ."

Leon, "Evet Fräulein. Lonsonyo Dağı o," diye doğruladı.

Eva, "Ah Otto, çok yakınındayız!" diye bağırdı.

Otto güldü. "Sana yakın geliyor çünkü oraya gitmek istiyorsun. Bana ise bir günlük mesafedeymiş gibi geldi."

"Beni oraya götüreceğine söz vermiştin!" Sesi hayal kırıklığı yüzünden boğuklaşmıştı.

Adam, "Gerçekten söz vermiştim," dedi. "Ama ne zaman götüreceğimi söylemedim."

Eva, "O zaman şimdi söyle," dedi. "Ne zaman sevgili Otto?"

"Şimdi değil. Bir an önce Nairobi'ye dönmemiz gerek. Bu gecikme bir zaaftı. Görülecek önemli işlerim var. Bu Afrika safarisi sadece zevk için değil."

"Tabii ki değil." Eva yüzünü buruşturmuştu. "Senin için hep iş vardır zaten."

Graf Otto epey eğlenerek, "Başka türlü arkadaşım olmanı nasıl sağlayabilirdim?" diye sordu ve Leon bu kaba soruya öfkeyle karşılık vermemek için başını çevirdi. Ama Eva ne duymuş, ne de aldırmış gibiydi ve Graf Otto devam etti. "Belki de burada bir yer almalıyım. Doğal zenginlik kaynaklarıyla yatırım yapmak için yeni bir alan."

Eva, "Peki işlerin bitince beni Lonsonyo Dağı'na götürecek misin?" diye ısrar etti.

"Kolay pes etmiyorsun." Graf Otto çaresiz kalmış gibi başını salladı. "Pekâlâ. Seninle bir pazarlık edelim. *Assegai* ile aslanımı öldürdükten sonra seni o cadıyı görmeye götüreceğim."

Eva'nın ruh hali bir kez daha hızla değişti. Bakışları donuklaştı, soğuk ve içine kapanık bir hal aldı. Leon tam maskesinin altında başka bir şey görür gibi olmuşken, kadın yine uzaklaşmış ve erişilmez olmuştu.

Öğle vakti, isimsiz bir ırmağın göllendiği yerde, maun ağaçlarının altında mola verdiler. Bir saat dinlendikten sonra atları tekrar eyerlediler ama kısrağının yanında durmakta olan Eva telaşla, "Sağ üzengimdeki emniyet mandalı kilitlendi, düşersem sürüklenirim," diye bağırdı.

Graf Otto, "Git bak şuna Courtney," diye emretti. "Ve bir daha da böyle bir şey olmasın."

Leon dizginlerini Loikot'a bırakıp çabucak Eva'nın yanına gitti. Eva onun üzengiye erişebilmesi için biraz geri çekildi, ama yine de Leon çeliği incelerken bayağı yakınında duruyordu. At yüzünden Graf Otto, ikisini de görmüyordu. Leon, kadının haklı olduğunu gördü: emniyet mandalı kilitlenmişti. O sabah Sonjo *manyatta*'sından çıktıklarında açıktı, bizzat kendisi kontrol etmişti. Sonra Eva eline dokundu ve Leon'un kalbi sıkıştı. Bir an baş başa kalabilsinler diye kendisi yapmıştı demek ki bunu. Yan gözle kadına baktı. O kadar yakınındaydı ki nefesini yanağında hissediyordu. Parfüm sürmemişti, ama kedi yavruları gibi sıcak ve tatlı bir kokusu vardı. Bir an Leon o menekşe rengi gözlerin derinliklerine baktı ve tülün ardından maskeyle gizlenmiş güzel bir kadın gördü.

"O dağa gitmek zorundayım. Orada beni bekleyen bir şey var." Eva'nın fısıltısı o kadar hafifti ki Leon hayal gördüğünü bile düşünebilirdi. "O beni asla götürmeyecek. Sen götürmelisin." Sesi olabildiğince kontrolsüzdü ve sonra, "Lütfen porsuk," dedi. Bu yürek burkan yalvarışı ve ona taktığı isim Leon'un nefesini kesmişti.

Graf Otto, "Mesele nedir Courtney?" diye seslendi. Her zaman tetikteydi ve bir şeyler hissetmiş olmalıydı.

"Bu mandalın kilitlenmiş olmasına kızdım. Fräulein von Wellberg için tehlikeli olabilirdi." Leon bıçağını çıkarıp mandalı açtı. Eva'ya, "Artık sorun olmaz," dedi. At hâlâ görülmelerini engellediği için eyerin üstünde duran eli okşamaya cesaret etti. Kadın elini çekmedi.

Graf Otto, "Atlarınıza binin! Gitmemiz gerek," diye bağırdı. "Burada yeterince oyalandık. Bugün Nairobi'ye uçmak istiyorum. Uçuş için yeterince ışık varken piste ulaşmak zorundayız." Hızla yol aldılar, ama nihayet merdiveni tırmanıp *Kelebek*'in kokpitine girdiklerinde güneş, kalkanının üstünde ölen bir *morani* gibi ufukta solmaya başlamıştı. Tecrübesiz olduğu halde Leon bile Graf Otto'nun bu vakitte uçmakla risk aldığını biliyordu. Bu mevsimde batmakta olan güneşin sağladığı aydınlık kısa ömürlü olurdu: bir saate kalmadan hava kararmış olacaktı.

Rift Vadisi duvarını geçerken güneşin son ışıklarını yakalayacak kadar yüksekten uçuyorlardı, ama aşağılar çoktan mor gölgelere bürünmüştü bile. Sonra güneş aniden, sönen bir mum gibi batıp gitti ve hiç ışık kalmadı.

Karanlıkta uçmaya devam ettiler, sonunda uzakta kentin ışıklarını seçer gibi oldu, karanlıkta ateşböcekleri gibi titreşiyorlardı. Polo sahasına geldiklerinde artık gece olmuştu. Graf Otto pistin üstünde birkaç tur attıktan sonra hızlarını azalttı. Aniden aşağıda iki Meerbach kamyonunun ışıkları yandı ve otlarla kaplı pist aydınlandı. Gustav Kilmer *Kelebek*'in motor sesini duymuş ve sevgili patronunu kurtarmak için gelmişti.

Graf Otto uçağı kuluçkaya yatan bir tavuk gibi hafifçe yere indirdi.

Leon, uçakla Rift Vadisi'ndeki safari kampına gidişin ve o vahşi bizon avının safarinin başlangıcı olacağına inanmıştı. Graf'ın sonunda kendini yeşilliklere atmaya hazır olduğunu tahmin ediyordu. Ama tahmininde yanılıyordu.

Percy Kampı'ndan dönüşlerinin ve gece vakti piste inişlerinin sonraki sabahında, Graf Otto, Tandala Kampı'ndaki kahvaltı masasının başına önünde bir dizi mektupla oturdu. Bunlar Max Rosenthal'ın İngiliz Doğu Afrika'sı ileri gelenlerine dağıttığı mektupların cevaplarıydı.

Graf Otto her mektuptan, karşısında oturan, büyük bir incelikle meyvesini yiyen Eva'ya çeviriler yaptı. Anlaşılan bütün Nairobi sosyetesi Graf Otto von Meerbach gibi birini aralarına almaya can atıyordu. Bütün diğer sınır kentleri gibi, Nairobi de eğlenmek için bahane arıyordu ve üç yıl önce Muthaiga Şehir Kulübü'nün açılışından bu yana karşılarına çıkan ilk fırsattı. Her mektupta bir de davetiye vardı.

Koloni valisi onun şerefine hükümet binasında özel bir akşam yemeği verecekti. Lort Delamere, ona ve Fräulein von Wellberg'e bölgeye hoş geldiniz demek için yeni Norfolk Otel'de resmi bir balo tertipliyordu. Muthaiga Şehir Kulübü komitesi Graf Otto'yu onur üyesi yapmıştı ve Delamere'den geri kalmamak için, onlar da kulüp üyeliğine kabulü şerefine bir balo veriyorlardı. Majesteleri kralın Doğu Afrika komutanı da boş durmamıştı: Tuğgeneral Penrod Ballantyne alay lokalinde bir ziyafete davet ediyordu. Lort Charlie Warboys, çifti Rift Vadisi'ndeki elli bin dönümlük arazisinde dört günlük bir domuz avı partisine çağırmaktaydı. Nairobi Polo Kulübü de Graf Otto'ya tam üyelik vermişti ve gelecek ayın ilk cumartesi günü Kraliyet Afrika Piyadeleri'ne karşı yapacakları maçta birinci takımda oynamaya davet ediyordu.

Graf Otto yarattığı heyecandan dolayı mutluydu. Onun her davet hakkında Eva'yla yaptığı tartışmaları dinleyen Leon, Nairobi'den ayrılışlarının epey gecikeceğini anlamıştı. Alman, davetlerin hepsini kabul etti ve karşılık olarak o da herkesi Norfolk'ta, Muthaiga'da veya Tandala Kampı'nda vereceği muhteşem yemeklere, ziyafetlere ve balolara davet etti. Leon artık SS *Silbervogel* gemisiyle neden o kadar çok yiyecek içecek gönderildiğini anlamıştı.

Yine de, Graf'ın en çarpıcı konukseverlik örneği, kolonideki herkesin kalbini kazanan ve ona hemen mükemmel bir ev sahibi ünü kazandıran açık hava daveti oldu. Polo sahasında halka açık bir piknik düzenleyeceğini duyurdu. Vali, Delamere, Warboys ve Tuğgeneral Ballantyne gibi seçkin konukları uçaklarından biriyle getirecekti. Sonra Eva ikna kabiliyetini kullandı ve Graf'ı ikna edip daveti altı ile on iki yaş arası tüm kız ve erkek çocukları da kapsayacak hale getirtti: hepsi de davete uçakla gelecekti.

Bütün koloni kendinden geçmiş durumdaydı. Hanımlar bu daveti Ascot'un Afrika'daki uyarlaması haline getirmeye karar verdiler. Basit bir piknik çığ gibi büyüyerek neredeyse bir kraliyet olayı haline geldi. Lort Warboys kömür ateşinde pişirilmek üzere üç tane genç öküz hediye etti. Kadınlar Kulübü'nün tüm üyeleri evlerinde kekler, börekler pişirdiler. Lort Delamere bira temin etme işini üstlendi: Mombasa'daki fabrikaya hemen bir telgraf gönderip birkaç gün içinde büyük miktar bira gönderilmesini istedi. Davet civar bölgelerde de duyuldu ve uzak çiftliklerde yaşayan göçmen aileleri Nairobi'ye gelmek üzere hazırlık yapmaya başladılar.

Kentte sadece dört tane terzi vardı ve hepsi de çok meşguldü. Ana cadde üzerindeki açık hava berberleri durmadan saç ve sakal tıraşı yapıyorlardı. Erkek okulu ve kızların gittiği manastır o günü tatil ilan etti ve sınıflarda uçağa binen her çocuğun Graf Otto'ya takdim edileceği ve günün anısına *Kelebek*'in mükemmel bir maketi verileceği söylentileri yayıldı.

Leon da bu çılgın faaliyete katılmak zorunda kaldı. Graf Otto uçmak üzere sıraya girecek çocuklarla baş edebilmek için ikinci bir pilota ihtiyacı olduğuna karar vermişti. Onur konuklarını o uçuracaktı, ama veletleri uçurmaya hiç hevesli değildi. Leon, adamın Eva'ya çocukların o gürültücü, yaramaz hallerinde olmalarındansa tatlı birer melek olmalarını tercih ettiğini söylediğini duymuştu.

"Courtney, sana uçak kullanmayı öğreteceğime söz vermiştim."

Leon gafil avlanmıştı. Bizon avından bu yana ilk kez uçuş hakkında konuşuyorlardı ve Leon sözünü tamamen unuttuğuna inanmaya başlamıştı. "Hemen piste gidelim. Courtney, bugün uçmayı öğreneceksin!"

Leon, *Arı*'nın kokpitinde Graf Otto'nun yanına oturdu ve adam her aygıtın, her düğmenin, bütün göstergelerin ve kumanda kollarının işlevini ve çalıştırılmasını anlatırken can kulağıyla dinledi. Önceden teorik bilgisi olduğu için bütün karmaşıklığa rağmen sistemi çabuk öğrenmişti. Graf Otto, onun az önce öğrendiği her şeyi tekrar edişini duyduktan sonra gülüp, başını salladı. *"Ja!* Uçarken ben izlemişsin. Çabuk öğreniyorsun Courtney. Çok iyi!"

Leon, onun iyi bir hoca olacağını düşünmediğinden Graf'ın ayrıntılardaki hassasiyetine ve sabrına şaşırmıştı. Motoru açıp kapamayı öğrendikten sonra, hemen yerde taksi yapmaya başladılar: çapraz rüzgârda, rüzgâr altında ve rüzgâra karşı. Leon artık kumandaları ve koca makinenin onlara verdiği tepkileri algılamaya başlamıştı, tıpkı atın dizginleri ve üzengileri gibiydiler. Yine de Graf Otto deri bir uçuş başlığı fırlatınca şaşırdı. "Tak kafana." Polo sahasının ucuna gittiler ve motorun sesini bastıracak şekilde, "Burnu rüzgâra ver!" diye bağırdı. Leon sancak dümene asıldı ve iki iskele motoruna gaz verdi. Makineye manevra yaptırmak için zıt yöne itmek gerektiğini öğrenmişti bile. *Arı* kolayca döndü ve burnunu rüzgâra verdi.

Graf Otto kulağına, "Uçmak istiyor musun? Uç öyleyse!" diye haykırdı.

Leon, adama dehşet içinde, inanamaz gözlerle baktı. Daha çok erkendi. Henüz hazır değildi. Biraz daha zamana ihtiyacı vardı.

Graf Otto, *"Gott in Himmel!"*(*) diye bağırdı. "Ne bekliyorsun? Uçursana şunu!"

(*) Aman Tanrım.

Leon derin bir nefes aldı ve gaz verdi. Hepsini sonuna kadar açıp bütün motorların senkronize hale gelmesini bekledi. *Arı,* otobüse yetişmeye çalışan yaşlı bir hanım gibi önce yavaş yavaş ilerlemeye, sonra da biraz hızlanarak nihayet koşmaya başladı. Leon kumanda kolunun ellerinde canlandığını hissetti. Yaklaşan uçuşun hafifliğini, parmak uçlarında, ayaklarının altındaki pedallarda ve ruhunda duydu. Kesin bir güç ve hâkimiyet hissiydi. Kalbi rüzgârla birlikte şarkı söylemeye başladı. Uçağın burnu pistin dışına çıkar gibi oldu ve Leon pedala dokunarak düzeltti. *Arı*'nın altında hafifçe zıpladığını hissediyordu. Uçmak istiyor, diye düşündü. İkimiz de uçmak istiyoruz!

Yanında oturan Graf Otto küçük bir el hareketi yaptı ve Leon ne demek istediğini anladı. Kumanda kolu parmaklarının arasında titriyordu ve yavaşça ileri itti. Arkasındaki kocaman kuyruk yerden yükseldi ve *Arı* sürtünmenin azalışına zarafetle karşılık verdi. Leon uçağın hız kazandığını hissetti ve Graf Otto bir işaret daha verdiğinde o çoktan kumanda kolunu geriye çekmeye başlamıştı. Tekerlekler bir iki kere zıpladı ve sonra uçak uçmaya başladı. Leon burnunu kaldırıp ilerideki ufka yöneltti, tırmanışa geçtiler. Yükseldikçe yükseldiler. Yandan aşağıya bir göz atınca toprağın hızla uzaklaşmakta olduğunu gördü. Uçuyordu. Elleri kumandada, ayakları pedaldaydı. Gerçekten uçuyordu. Sevinçle yukarılara baktı.

Graf Otto onaylarcasına başını sallayıp, sonra uçağı artık düzeltmesini işaret etti. Leon kumandayla pedala aynı anda hükmederek *Arı*'yı dengeye getirdi ve uçak uslu uslu itaat etti.

Graf Otto yine başını salladı ve Leon duyabilsin diye bağırarak, "Bazılarımız saçımızda rüzgâr ve gözlerimizde yıldız ışıklarıyla doğarız," dedi. "Bence sen de bizlerden biri olabilirsin Courtney."

Graf Otto'nun talimatlarıyla Leon geniş bir daire çizdi ve piste yaklaştı. Daha makineyi nasıl yavaşlatacağını ve aynı anda yere nasıl ineceğini öğrenmemişti. Burnu havaya kaldırması ve hızı azaltıp kendi ağırlığıyla alçalmayı beklemesi gerekiyordu. Oysa Leon burnu aşağı çevirip büyük bir hızla tarlaya doğru dalışa geçti. Bir gümbürtüyle yere çarpıp tekrar havaya fırladığında *Arı* hâlâ uçuyordu. Kolları sonuna kadar açıp tekrar yükselmesi gerekti. Arkadan Graf Otto gülüyordu. "Daha öğrenecek çok şeyin var Courtney. Bir daha dene."

İkinci yaklaşımda daha iyiydi. *Arı* muazzam kanat açıklığıyla yavaşlamış olarak iniyordu. Polo sahasının etrafındaki çitin on metre üstünden geçti, hızı yetmiş dört kilometre olarak görünüyordu. Uçağın burnunu kaldırdı ve yere konsun diye bıraktı. Dişlerini takırdatan bir darbeyle yere kondular, ama uçak bu sefer zıplamadı ve Graf Otto yine güldü. "Güzel! Çok daha iyi! Bir tur daha at."

Leon çabuk alışıyordu. Sonraki üç inişin her biri öncekinden daha iyi oldu ve dördüncüsünde mükemmel bir şekilde üç tekerin üstüne kondu, ana gövdeyle kuyruk bölümü yere aynı anda değmişti.

Graf Otto, "Mükemmel!" diye bağırdı. "Hangara doğru taksile!"

Leon başarısından başının döndüğünü hissetti. İlk uçuş günü zaferle sonuçlanmıştı ve ileriki günlerde de bunu geliştirmeyi hevesle bekleyeceğini biliyordu.

Arı'yı hangarın önünde çevirdikten sonra motorları kapatmak için yakıt mandalına uzandı, ama Graf Otto engel oldu. "Hayır! Ben iniyorum ama sen kalıyorsun."

"Anlamadım." Leon şaşırmıştı. "Ne yapmamı istiyorsunuz?"

"Sana uçmayı öğreteceğime söz vermiştim ve bunu yaptım. Şimdi git ve uç Courtney ya da git ve kendini öldür. Benim için fark etmez." Graf Otto von Meerbach kokpitin yanından atlayıp gözden kayboldu, üç saatlik eğitimden sonra Leon'u ilk yalnız uçuşuyla baş başa bırakmıştı.

Leon'un uzanıp kumanda kolunu tutması için vücudunu ve beynini zorlaması gerekti. Zihni karmakarışıktı. Az önce öğrendiği her şeyi unutmuştu. Rüzgârı kuyruktan alarak kalkış için ilerlemeye başladı. *Arı* gitti, gitti ve öyle bir hız kazandı ki sonunda ancak çite çarpmasından hemen önce kendini yukarı atabildi. Çiti bir metreyle sıyırmıştı, ama en azından uçuyordu. Omzunun üstünden bir göz attı ve Graf Otto'nun yumruklarını kalçalarına dayamış, başını arkaya atmış ve gülmekten kırılır vaziyette hangarın önünde durduğunu gördü.

"Harika bir mizah duygun var von Meerbach. Bizonları özellikle yaralıyorsun ve tamamen acemi birini kendini öldürsün diye gökyüzüne yolluyorsun. Sırf gülmek için!" Fakat öfkesi gelip geçiciydi ve hemen unuttu. Tek başına uçuyordu. Yeryüzü ve gökyüzü sadece ona aitti.

Hava parlak ve küçük bir gümüş rengi bulut dışında açıktı. *Arı*'nın biraz daha havalanmasını sağlayıp buluta doğru gitmeye başladı. Neredeyse kara kadar katı görünüyordu ve hemen üstünden geçti. Sonra dönüp bir daha geldi ve bu sefer, sanki oraya konacakmış gibi tekerlekleriyle gümüş dalgaların tepesine değmeyi başardı. "Bulutlarla oynamak!" diye coştu. "Tanrılarla melekler de böyle mi vakit geçirir?" Bulutun içine daldı ve birkaç saniye gümüş dumanların arasında önünü göremedi, sonra yeniden güneşe çıkıp sevinçle güldü. Dikine dalışa geçti ve büyük kara parçası hızla yaklaşmaya başladı. Uçağı doğrulttu, tekerlekler ağaç tepelerini sıyırarak geçmişti. Karşısına geniş Athi Düzlükleri çıkınca biraz daha alçaldı. Yerden on metre yükseklikte ve saatte yüz yetmiş kilometre hızla ağaçsız doğanın üzerinden uçtu. Vahşi hayvan sürüleri aşağıda birbirini çiğniyordu. O kadar alçaktan uçuyordu ki dörtnala koşan bir zürafanın öne uzanmış boynuna çarpmamak için sol kanat ucunu kaldırması gerekmişti.

Tekrar gökyüzüne tırmanıp Ngong Tepelerine doğru yöneldi. Dört kilometre uzaktan Tandala Kampı'nın saz damlarını tanıdı. Kampın üstünden o kadar alçaktan geçti ki şaşkınlık içinde ona bakakalan kamp personelinin yüzlerini seçebiliyordu. Manyoro ve Loikot da oradaydı. Kokpitin yan tarafından sarkıp onlara el salladı, onlar da dans edip zıplayarak aynı heyecanla karşılık verdiler.

Yüzler arasında tanıdık beyaz bir yüz aradı ve kadının orada olmadığını anlayınca hayal kırıklığına uğradı. Piste doğru döndü ve atı gördüğünde Ngong Tepelerini aşmak üzereydi. Eva'nın her zaman tercih ettiği gri kısrak tam karşısındaydı. Sonra Eva'nın da atın yanında durduğunu fark etti. Parlak sarı bir bluz giymiş, geniş kenarlı hasır bir şapka takmıştı. Başını kaldırıp yaklaşan uçağa baktı, ama herhangi bir harekette bulunmadı.

Tabii, benim olduğumu bilmiyor ki. Graf Otto sanıyor. Leon kendi kendine gülümseyip ona doğru alçaldı. Gözlüğü başına kaldırdı ve kokpitin yanından sarktı. Kadına o kadar yaklaşmıştı ki onun kendisini hemen tanıdığını fark etti. Başını arkaya atarak gülünce bembeyaz dişleri ortaya çıktı. Şapkasını çıkarıp uçak fırtına gibi üstüne gelirken salladı, o kadar yakındılar ki kısrak zıplayıp korkuyla Eva'ya kafa attı. Leon ise Eva'nın gözlerinin rengini dahi görebildiği için mutluydu.

Tekrar yukarı tırmanırken oturduğu yerde dönüp Eva'ya baktı. Eva hâlâ el sallıyordu. Onun kokpitte yanında olmasını isterdi. Keşke uzanıp ona dokunabilseydi. Sonra yanındaki dolapta duran işaret defterini hatırladı. Graf Otto bir sayfasını çizimle bir şey göstermek için kullanmıştı. Yanında da bir kalem duruyordu. Defteri dizlerinin arasına kıstırdı ve bir eliyle kumandaları idare ederek, "Benimle Lonsonyo Dağı'na uç. Porsuk," yazdı. Sayfayı yırtıp küçücük katladı. Defterin durduğu dolapta, her biri iki metre uzunluğunda kırmızı mesaj kurdeleleri de vardı. Birini çekip aldı. Kurdelenin bir ucu bilye büyüklüğünde bir kurşunla ağırlaştırılmıştı ve diğer ucunda da küçük, düğmeli bir kese vardı. Katlanmış kâğıdı keseye koyup ağzını kapattı ve *Arı*'yı geri döndürdü.

Eva hâlâ tepedeydi, ama artık gri kısrağın üstündeydi. *Arı*'nın geri geldiğini görmüş ve üzengilerin üstünde kalkmıştı. Leon çabucak bir hız ve yükseklik hesabı yapıp işaret kurdelesini kokpitin yanından aşağı bıraktı. Kurdele rüzgârla açılarak aşağı doğru süzüldü.

Eva kısrağı çevirdi ve dörtnala düşen kurdelenin peşinden gitti. Leon küçük bir daire çizip tekrar ona doğru uçtuğunda kadının eğerden inip kurdeleyi almış olduğunu gördü. Eva keseyi açtı, notu çıkardı, okudu ve başını çılgınca sallayarak iki kolu havada zıplamaya başladı. Gülerken yine dişleri parlıyordu.

Graf Otto von Meerbach'ın düzenlediği piknik sahilden ilk trenin gelişi veya Amerika Birleşik Devletleri Başkanı Theodore Roosevelt'in ziyareti gibi koloni tarihinde yaşanmış tüm olayları gölgede bırakacak bir önem kazandı.

Muthaiga Şehir Kulübü müdavimlerinden birinin de belirttiği gibi, o son olay bile bedava uçağa binme fırsatıyla kıyaslanamazdı.

Büyük gün geldiğinde polo sahasında çadırlardan oluşan küçük bir kent kurulmuştu. Çoğu, civar köylerden gelen göçmen ailelerini ağırlıyordu, fakat diğerleri Lort Delamere'in bedava bira ve limonatayla desteklediği ve Kadınlar Kulübü'nün çikolatalı kekleriyle elmalı paylarını sergilediği ikram çadırlarıydı.

Norfolk Otel'den gelen şef, kömür ateşinde pişirilen öküzlere nezaret etmekteydi. KAR yürüyüş bandosu da valiyi karşılamak üzere enstrümanlarını akort ediyordu. Küçük oğlanlardan ve köpeklerden oluşan çeteler yiyecek bir şeyler kapmak, yaramazlık yapmak için ortada dönüyorlardı. Yemek büfelerinin başında büyük bir kalabalık vardı ve biraların günün sonuna kadar yetmeyeceğine üçe bir bahse giriliyordu. Gustav Kilmer'in teknisyenleri uçak motorlarının son bakımlarını yapmakla ve yakıt doldurmakla meşguldü. Uçmak için heyecan içinde bekleyen çocuklar sıraya girmişlerdi, motorlar her kükreyişinde çığlıklar atıyorlardı.

O güne kadar Leon *Arı*'yla toplam on iki saat uçmuştu ve Graf Otto da endişeli ana babalara çocuklarının böyle tecrübeli bir pilotun yanında güvende olduklarını anlatıyordu. Eva, çocukları kontrol altında tutma işini üstlenmişti. Anneleri ve Polo Kulübü komite üyelerini de ekip amirleri olarak kullanıyordu. Bazıları biraz Almanca ya da Fransızca biliyordu ve hepsi de gayet iyi anlaşıyormuş gibiydi. Sabahın ilerleyen saatleri boyunca Leon'un gözü ne zaman Eva'ya takılsa kadının kucağında küçük bir çocuk, kollarına, eteklerine yapışmış beş altı büyük çocuk görmüştü.

Bu, Graf Otto'nun büyüleyici arkadaşından farklı bir kadındı. Annelik içgüdüsü kabarmıştı, yüzü ve gözleri pırıl pırıl parlıyordu. Çocukları

Arı'nın kokpitine uzatırken kahkahaları neşeli ve dizginsizdi. Leon'la Hennie du Rand'da kemerlerini bağlıyorlardı. Kokpit ağzına kadar küçük insancıklarla dolunca Leon motorları çalıştırdı ve çocuklar dehşet içinde feryat etmeye başladılar. O sırada KAR yürüyüş bandosu askeri bir marş çalıyordu. Derken *Arı*, Graf Otto'nun daha saygın ve değerli konuklarını taşıdığı *Kelebek*'in peşinden piste çıktı. İki uçak sırayla havalandılar ve kentin üstünde ikişer tur attıktan sonra iniş için geri döndüler. Eva *Arı*'nın merdiveninde durup çocukların yere inmesine yardım etti. Hennie ile Max Rosenthal da model uçaklarını verdiler ve bir sonraki minik yolcu grubu uçağa alındı.

Leon, Eva'nın bu yeni haline hayran olmuştu. Genç kadın kepenklerini açmış, içindeki sıcaklığın ve kadınsı gücün ortaya çıkmasını sağlamıştı. Çocuklar bunu gözlerinden okuyor ve şeker kâsesine giden karıncalar gibi başından ayrılmıyorlardı. Leon'a sanki Eva da çocuklaşmış gibi geliyordu, tamamen mutlu ve doğaldı. Çocukların oluşturduğu kuyruk hiç bitmeyecekmiş gibi görünüyordu ve yardımcıları sıcaktan bayılacak hale gelmişti, ama Eva yorulmak bilmiyordu. Leon havada istifra eden küçük bir kızın üzerini temizlemek için toprak zemine çömeldiğinde terden ıslanmış saç tutamlarının gözlerine inişini ve dudaklarını büzüp üfleyerek onları uzaklaştırmasını seyretti. Çizmeleri toz içindeydi ve eteğinde kirli parmakların izleri vardı, ama yüzü terden ve mutluluktan ışıldıyordu.

Leon etrafına bakındı. Graf Otto *Kelebek*'le bir sonraki turuna başlamıştı, bu sefer uçakta Tuğgeneral Penrod Ballantyne ile Barclays Bankası'nın müdürü vardı. Gustav Kilmer hangardaydı, yeni bir yakıt varili çıkardığı için arkası onlara dönüktü. O an onları izleyen kimse yoktu.

"Eva!" diye seslendi.

Eva, çocukları annelerine teslim edip, uçağın yanına geldi ve bekleyen çocukları yatıştırmaya çalışıyormuş gibi yaptı. Leon'a bakmadan konuştu. "Tehlikeli hayatı seviyorsun Porsuk. Herkesin içinde konuşmamız gerektiğini biliyorsun."

"Seni yalnız yakalamak için her türlü fırsatı değerlendirmek zorundayım."

"Ne söylemek istiyordun bana?" Yüzünün ifadesi yumuşamıştı ama hemen başını çevirdi.

Leon, "Çocuklarla uğraşırken çok iyiydin," dedi. "Senin gibi kurumlu bir hanımdan beklemezdim."

Eva yine gülümseyerek, gözleri parlayarak ona baktı. Gözleri hiçbir şey gizlemiyordu. "Benim kurumlu biri olduğumu düşünüyorsan beni pek iyi tanımıyorsun demektir."

"Bence senin için hissettiklerimi biliyorsun."

"Evet Porsuk. Biliyorum. Sır saklamakta pek başarılı değilsin." Güldü.

"Yalnız kalmamızın bir yolu yok mu? Sana söylemek istediğim çok şey var."

"Gustav bizi izliyor. Zaten fazla konuştuk. Gitmem gerek."

Akşama doğru bekleyen çocuk sırası da, Leon da hemen hemen tükenmişti. O gün yaptığı uçuş sayısını hatırlamıyordu. Hepsi iyi sayılmazdı ama *Arı*'ya belirgin bir zarar vermemişti ve küçük müşterilerinden şikâyet de gelmemişti. Şimdi bitkin bir şekilde sıraya bakıyordu. Beş çocuk kalmıştı ve bu da günün son uçuşu olacak demekti.

Sonra dikkatini çeken bir şey oldu. Birisi sınır çitinin ardından ona el sallıyordu. Adamın yüzünü hatırlaması biraz uzun sürdü, aslında arkasındaki sarili küçük kızlar olmasa daha da sürebilirdi.

Leon hemen kendine geldi. "Bunlar Bay Goolam Vilabjhi'yle melekleri." Sonra en küçük meleğin ağladığını ve diğerlerinin de kalpleri kırılmak üzereymiş gibi baktıklarını gördü. Kokpitte ayağa kalkıp eliyle gelmelerini işaret etti. Ailece sahanın kapısına doğru koşmaya başladılar. Ama Polo Kulübü'nün komite üyelerinden biri kapıda dikilmiş, istenmeyenleri uzaklaştırıyordu. İriyarı bir adamdı, kocaman bir bira göbeği ve güneşten kıpkırmızı olmuş bir suratı vardı. Leon, onun dört bin dönümlük arazisini teslim almak üzere yeni gelen göçmenlerden olduğunu biliyordu. Belli ki

Lort Delamere'in biralarına fazlaca gömülmüştü. Bay Vilabjhi'yi başını sallayarak engelledi. Çocukların yüzündeki dehşet ifadesi çok üzücüydü.

Leon kokpitten atlayıp kapıya doğru koştu, ama çok geç kalmıştı: Eva ondan önce davranmıştı. Kapıdaki adamın üstüne fare görmüş Jack Russell terrieri gibi atıldı ve adam korkuyla geri çekildi. Eva, Vilabjhi kızlarından ikisini ellerinden tuttu, Leon da geri kalanını toparladı. Çocuklarının üstünden, "Ne zaman baş başa kalabileceğiz?" diye sordu.

"Sabırlı ol Porsuk. Lütfen. Artık konuşmayalım. Gustav yine bize bakıyor." Son çocuğu da merdivenden kokpite verdikten sonra Bay Vilabjhi'nin endişeyle beklediği kapıya gitti. Leon uçuştan sonra *Arı*'yı piste indirirken ikisi hâlâ keyifle sohbet ediyorlardı.

Kolonideki her erkek ondan büyülenmiş durumda ve ben sıranın en sonunda geliyorum. Leon gösterdiği kıskançlığa şaşırmıştı.

KAR Alayı'nın subay lokalindeki Bayanlar Gecesi de Leon dışında herkes için başka bir büyük başarı oldu. Leon barda durmuş Penrod'un Eva'yla vals yapışını izliyordu. Amcası ısmarlama üniformasının içinde çok yakışıklı görünüyordu ve çok güzel dans ediyordu. Eva da kollarının arasında tüy gibiydi ve çok hoştu. Parlak siyah saçları tepede toplanmış, omuzlarını açıkta bırakmıştı. Elbisesi, gözlerinin rengini derinleştiren ve dekoltesi ipeksi tenini vurgulayan açık menekşe rengindeydi. Göğüsleri dolgun ve biçimli, kolları ince ve zarifti. Teni ışıl ışıldı; Penrod'un şakalarından birine gülerken yanakları hafifçe kızarmıştı. Önünden dönerek geçerlerken, Leon konuşmalarına kulak misafiri oldu. Fransızca konuşuyorlardı ve Penrod en çekici, kibar halini takınmıştı.

Leon acı bir şekilde ihtiyar hergele, diye düşündü. Genç kadının büyükbabası olacak yaştaydı, ama hiç umurunda değildi. Sonra, ona tebessüm etmekte olan Eva'nın gözlerindeki kıvılcımı ve gülümserken ışıl ışıl yanan beyaz dişlerini gördü. Onun da amcasından kalır yanı yoktu. Hayatına giren her erkeğe böyle davranmasa olmaz mıydı sanki?

Gece hiç bitmeyecekmiş gibiydi. Subay arkadaşlarının şakaları tatsız, konuşmaları sıkıcı, müzik fazla yüksek ve ahenksizdi, hatta viskinin tadı bile ekşiydi. Hava sıcaktı ve içerisi boğucuydu. Kendini kafese kapatılmış gibi hissediyordu. Zorla dansa kaldırdığı kızın pis ağız kokusundan kaçınmak için başını yana çevirdi ve sonunda ondan da kurtulup kendini dışarıya attı.

Güzel bir hava vardı; gökyüzü berrak, yıldızlar ışıl ışıldı. Akrep takımyıldızı kuyruğunu kaldırmış, sokmaya hazırlanıyordu. Leon ellerini cebine sokup tören alanında tura çıktı. Turunu tamamlayıp lokale doğru yaklaşırken verandada küçük bir erkek grubu gördü. Puro içiyorlardı ve Leon grubun ortasından yükselen anırtı gibi sesi tanıdı. Hemen arkasından en az ilki kadar sinirini bozan başka bir ses daha duyuldu. Kurbağa Snell'le kıç yalayıcısı Eddy Roberts diye düşündü. Tam biraz rahatlamışken dünyada karşılaşmak isteyeceğim en son iki kişi.

Neyse ki dans salonunun bir de arka girişi vardı, o da hemen dalları sık asmanın altından sessizce binanın diğer tarafına geçti.

Köşeyi döner dönmez yakında bir yerde karanlığın içinde bir gaz lambası parladı ve asma yaprakları arasında duran bir çift gördü. Kadının sırtı ona dönüktü. Kibriti o yakmıştı ve purosunu yakmak üzere eğilen adama doğru tutuyordu. Adam doğrulup purosundan çektiği nefesi üfledi. Kibrit hâlâ yanıyordu ve o zaman Leon erkeğin Penrod olduğunu gördü. Ne o, ne de kadın kendisinin orada bulunduğunu bilmiyordu.

Penrod İngilizce olarak, "Teşekkür ederim hayatım," dedi. Sonra Leon'u fark etti ve korkuya kapılır gibi oldu. "Bu Leon!" diye bağırdı.

Leon, garip bir ifade, diye düşündü. Sanki dostça bir selamlaşmadan çok bir uyarıyı andırıyordu. Kadın hızla dönüp baktı, gaz lambası hâlâ yanıyordu. Kibriti yere atıp ayağıyla alevi söndürdü, ama Leon o arada yüzündeki ifadeyi görmüştü. Penrod'la ikisi bir şeyler çeviriyormuş gibiydiler.

"Mösyö, Courtney, beni çok korkuttunuz. Geldiğinizi duymamıştım."

Kadın Fransızca konuşmuştu, ama niye on saniye önce Penrod, onunla İngilizce konuşuyordu? "Bağışlayın, rahatsız ettim."

Penrod, "Hiç de değil," diye itiraz etti. "Salondaki hava dayanılacak gibi değildi. O minik vantilatörler hiç işe yaramıyor. Fräulein von Wellberg sıkılmıştı, benim de temiz havaya ihtiyacım vardı. Ve diğer yandan, puro da içmek istiyordum." Eva'ya hitap ederken Fransızcaya döndü. "Yeğenime sıcaktan ve boğucu havadan rahatsız olduğunuzu anlatıyordum."

Kadın aynı dilde, "Şimdi gayet iyiyim," dedi ve Leon yüzünü göremese de kendisini toparlamış olduğunu anladı.

Penrod, "Orkestrayı ve repertuarını konuşuyorduk," dedi. "Fräulein von Wellberg, Strauss'u kabile savaş dansı gibi çaldıklarını söylüyordu, polkayı(*) daha başarılı çaldıklarını düşünüyor."

Leon keyfi kaçmış bir halde amca kendini biraz fazla zorluyorsun, diye düşündü. Burada çok garip bir şeyler dönüyor. Onların anlamsız konuşmalarına biraz daha katıldıktan sonra başıyla Eva'ya selam verdi. "Lütfen kusuruma bakmayın Fräulein, ama ben siz ikiniz kadar dayanıklı değilim. Eve gidip biraz uyumam gerek. Balodan sonra Graf ve siz, Tandala'ya mı döneceksiniz yoksa Norfolk Otel'de mi kalırsınız?"

Eva, "Anladığım kadarıyla Gustav av arabasıyla kampa getirecek bizi," diye cevap verdi.

"Çok güzel. Personelime dönüşünüzde her şeyin hazır olması için talimat vermiştim. Bir şeye ihtiyacınız olursa onlara haber vermeniz yeterli. Sanırım yarın Graff Otto da siz de geç kalkmak istersiniz. Ne zaman emrederseniz kahvaltı o zaman hazır olur." Penrod'a başını salladı. "Görevin çağrısı ne kadar yüksek sesle olursa olsun insan çabuk yoruluyor efendim. Bir iki görev dansından sonra ben gidip kendimi yatağa atacağım."

(*) Bir çeşit Polonya dansı ve bu dansın müziği.

"Raporlarda senden övgüyle söz edeceğim oğlum. Alayın onurunu yücelttin. Charlie Warboys'un kızıyla yaptığın dans sırasındaki tutumunu izlemek bir zevkti. Denge sağladın ve kimseye yoksunluk hissettirmedin."

"Çok naziksiniz amca." Yanlarından ayrıldı, ama salonun kapısına gelince arkasına bir göz attı. İkisi de karanlıktaydı ve yüzlerini göremiyordu ama birbirlerine doğru eğilişlerinde, kafa kafaya verişlerinde bir şey vardı, belli ki polkadan, valstan değil çok daha önemli şeylerden söz ediyorlardı.

İkinizin niyeti nedir? Sen aslında kimsin Eva von Wellberg? Sana ne kadar yaklaşırsam o kadar anlaşılmaz oluyorsun. Hakkında bir şeyler öğrendikçe ne kadar az şey bildiğimi anlıyorum.

Leon kentten dönen Meerbach av arabasının ve Graf'ın avaz avaz söylediği birahane şarkısı. "Kalbimi Heidelberg'de bıraktım"la uyandı. Yatağında doğrulup oturdu, bir gaz lambası yaktı ve Percy'nin komodinde duran gümüş saatine baktı. Daha sabahın dördü bile olmamıştı. Arabanın gelip kampa girişini, kapıların çarpılışını, Graf Otto'nun Gustav'a bağıran sesini ve Eva'nın kahkahasını duydu. Kıskançlık kalbine bir bıçak gibi saplandı ve kendi kendine, "Çıkardığın seslere bakılırsa fıçıyla içmişsin Graf," diye mırıldandı. "Delamere ile içerken çok daha dikkatli olmalısın. Umarım sabaha ayılamayacak kadar sarhoş olursun. Bunu hak ediyorsun piç herif."

Hayal kırıklığına uğrayacaktı. Graf Otto sabah sekizde gayet neşeli ve dinç bir halde ana çadırda boy gösterdi. Göz akları bebeklerinki kadar berrak ve parlaktı. İsmail'den kahve getirmesini istedi ve buharları tüterek gelen fincana konyak ekledi. "İçki beni aşırı susatıyor. O manyak İngiliz Delamere herkesi sürekli kadeh kaldırmaya zorladı, gecenin sonunda en sevdiği atıyla, av köpeğine bile kadeh kaldırmıştık. Kaçık o herif. Hem kendi iyiliği için hem de herkesin iyiliği için bir yere kapatılması gerek."

"Hatırladığım kadarıyla, dans pistinin ortasında amuda kalkıp tepetaklak vaziyette konyak için Lort Delamere değildi."

Graf Otto, "Yok, o bendim," diye itiraf etti. "Ama Delamere zorladı beni. Başka şansım yoktu. Gençken aslan ısırmış onu, biliyor muydun? O yüzden topallıyormuş."

"Kolonideki herkes bilir o hikâyeyi."

"Hayvanı bıçakla öldürmeye çalışıyormuş." Graf Otto kederle başını salladı. "Kaçık! Gerçekten bir yere kapatılması şart."

"Söylesenize Graf Otto, *assegai* ile aslan öldürmeye kalkmak da aynı şekilde delilik değil mi?"

"Nein! Hiç de değil! Bıçak aptalca, ama mızrak gayet mantıklı." Graf Otto kahvesini bitirip fincanı küt, diye masaya bıraktı. "Hatırlattığına sevindim Courtney. Delamere'in tabiriyle bu okul çocuklarıyla yeterince eğlendim. Dünyadaki herkesin şerefine kadeh kaldırdım ve kolonide yaşayan tüm şişko İngiliz kadınlarıyla dans ettim. Boklu veletlerini güzelim makinelerimle uçurdum. Kısacası, bütün şirinliklerimi yaptım ve bu koloninin valisine ve vatandaşlarına karşı sosyal yükümlülüklerimi yerine getirdim. Şimdi doğaya dönüp gerçekten avlanmak istiyorum biraz."

"Bunu söylemenize sevindim efendim. Sizin gibi ben de Nairobi'den biraz uzak kalmayı özledim."

"Güzel! Hemen ayrılabilirsin. Şu senin iki uzun vahşiyi de al ve *Das Hummel*'i av sahalarına götürün. Rift Vadisi ve civarında Masai topraklarının en büyük aslanını aradığımı duyurun. Hangi kabile bulursa şefine yirmi sığır ödül vereceğim. Hemen gidin ve güzel haberi getirmeden de dönmeyin. Unutma Courtney, büyük ve cehennem çukuru kadar kara yeleli olmalı."

"Hemen Graf, fakat gitmeden kahvemi bitirsem olur mu?"

"Güzel bir İngiliz esprisi daha. *Ja,* gerçekten komik. Şimdi ben de sana güzel bir Alman esprisi yapayım. Ya aslanımı bulursun ya da Delamere'den beter hale getirene kadar kıçını tekmelerim. Nasıl, bu da çok komik oldu değil mi?"

Bir saat sonra Eva ana çadıra girdiğinde Graf Otto uzun masada yalnızdı, önünde de birtakım belgeler diziliydi. Üzerinde Alman Savaş Bakanlığı'nın kara kartalı olan kâğıdı dikkatle okuyup kendi defterine bazı notlar alıyordu. Eva içeri girince kâğıdı bir kenara itip arkasından vuran sabah güneşiyle çadırın girişinde dikilen kadına baktı. Eva'nın ayağında sandaletler vardı ve onu okullu bir kız gibi sevimli gösteren çiçekli bir yazlık elbise giymişti. Yeni yıkanıp taramış saçları kara bukleler halinde sırtına iniyordu. Dudağında ruj yoktu. Gelip Graf Otto'nun yanında durdu ve bir koluyla omzuna sarıldı. Adam kadının elini tutup parmaklarını araladı ve avucunun içini öptü. "Nasıl bu kadar güzel olabiliyorsun?" diye sordu. "Etrafındaki bütün kadınları sönük ve çirkin bir hale sokmaktan utanmıyor musun?"

"Sen bu kadar kolay ve inandırıcı yalanlar söylemekten utanmıyor musun peki?" Adamı dudağından öptükten sonra o göğüslerine uzanırken gülerek geri çekildi. "Önce karnımı doyurmalısın sevgili Graf Otto."

İsmail, onun gelişine hazırdı. En iyi siyah püsküllü fesini takmıştı ve kanza'sı özenle yıkandıktan sonra kâğıt gibi ütülenmişti. Gülümseyince bembeyaz dişleri ortaya çıktı. "Günaydın hanım sahip. Gününüz gül kokularıyla dolsun ve bunlar gibi güzel meyvelerle tatlansın." Dilimlenmiş mango, muz ve papayaların olduğu tabağı Eva'nın önüne bırakırken bunları Fransızca söylemişti.

"*Merci beaucoup*(*) İsmail. Böyle güzel Fransızca konuşmayı nerede öğrendin?"

"Yıllarca Mombasa'daki konsolosun yanında çalıştım Hanım Sahip." İsmail kendinden geçmişti. Eva'nın büyüsü bütün Tandala Kampı personelini sarmıştı zaten.

Graf Otto, "Git buradan seni sırıtkan kâfir," diye araya girdi. "Kahvem soğudu. Yeni yapılmış bir kahve getir." İsmail gider gitmez tutumu

(*) Çok teşekkürler.

değişti, ciddileşip işadamı tavrına büründü. "Eh, Courtney'den kurtuldum. Sık sık sözünü ettiğimiz aslanı bulsun, diye av bölgesine gönderdim. Biz asıl işimizi görene kadar buralardan uzak olur. O saf ve uyumlu kişiliğine rağmen hiç güvenmiyorum ona. Benim için fazla açıkgöz. Geçen gece de askeri üniforma giymişti. Onun bir zamanlar İngiliz ordusunda olduğunu öyle anladım. Ayrıca, Delamere'den o Tuğgeneral Ballantyne'ın da amcası olduğunu öğrendim. Adamın İngiliz ordusuyla bağları güçlü. Gelecekte ona karşı çok daha tedbirli olmalıyız."

"Tabii ki Otto." Eva da yanındaki iskemleye oturdu ve dikkatini meyve tabağına yöneltti.

"Dün Berlin'den bir telgraf geldi. Von Lettow'la görüşmemi ayın on yedisine ayarlamışlar. Buradan Arusha'ya oldukça uzun bir uçuş olacak, ama geç kalmayı göze alamam. Orada bir sürü insan bizi bekliyor. En güzel kıyafetlerini al yanına Eva. Seninle gurur duymak istiyorum."

"Gerçekten bana ihtiyacın olacak mı orada Graf Otto? Hep erkek erkeğe konuşacaksınız, çok sıkıcı. Burada kalıp resim yapmak isterdim." Çatalına bir dilim mango aldı.

Onun işlerine karşı gösterdiği bu ilgisizlik, uzun süreli birlikteliklerinde başarıyla oynadığı bir roldü. Ondan bilgi sızdırmaya kalksa bu kadar işe yaramazdı. Gösterdiği sabır bir kere daha işe yaramıştı. Wieskirche'den ayrıldıklarından beri ilk kez von Lettow Vorbeck'ten söz ediyordu. Eva, Afrika gezilerinin asıl amacının bu olduğunu biliyordu. Diğerleri sadece göstermelikti.

"Evet, *Liebling*. Sana her zaman ihtiyacım olduğunu biliyorsun."

"Lettow'dan başka kimler olacak? Benden başka kadın var mı?"

"Pek sanmıyorum. Von Lettow bekâr. Belki Vali Schnee de orada olur, ama onunla von Lettow bir araya gelmezler bence. Sosyal bir etkinlik olmayacak sonuçta. Toplantıdaki en önemli kişi Güney Afrikalı Boer Koos de la Rey. İşin belkemiği o."

"Belki ben sadece aptal bir kızım, senin de sık sık belirttiğin gibi, ama seçtiğiniz bu yol buluşmak için karmaşık değil mi? Şu Boer general kalkıp Berlin'e gelse daha kolay olmaz mıydı veya *Admiral* gibi güzel bir transatlantikle biz Cape Town'a gidemez miydik?"

"Güney Afrika'da de la Rey tanınan biri. İngilizlere karşı en iyi çarpışan liderlerden biriydi. Ateşkesten beri de İngiliz karşıtı duygularını gizlemek için hiçbir çaba göstermiyor. Onunla hükümetimiz arasındaki en ufak bir temas Londra'da alarm zillerinin çalması için yeterli. Toplantının onun ülkesinin dışında yapılması gerek. On gün önce büyük bir gizlilik içinde denizaltılarımızdan biri onu Güney Afrika kıyılarından alıp Darüsselam'a getirdi. Toplantımızdan sonra da aynı yolla geri dönecek."

"Bu arada sen de komşu ülkelerin birinde büyük bir safaridesin. İkinizin bir araya gelmesi şüphe çekmez. Haklı olduğunu şimdi anladım."

"Beğendiğine sevindim." Graf Otto alaylı bir tavırla gülümsedi.

"Avlanmakla geçirebileceğin zamanda bununla uğraştığına göre bütün bu işlerin daha önemli olduğunu düşünüyorum."

"Öyle." Ciddi bir şekilde başını salladı. "İnan bana, gerçekten öyle."

İçgüdüleri Eva'ya o an için yeterince ileri gittiğini söylüyordu. İçini çekip, "Çok önemli ve çok sıkıcı," diye mırıldandı. "Seninle gelirsem Almanya'ya döndüğümüzde bana güzel bir hediye alacak mısın?" Rolünü iyi oynayan bir oyuncu gibi uzun koyu kirpiklerini kırpıştırıp masum bir tavırla Graf Otto'ya baktı. Onu hoşnut etmek için geliştirdiği karaktere daha uygundu böylesi. Adam ondan bu tür sığ tepkiler bekliyordu. Birlikte oldukları süre içinde, aralarındaki her türlü meselede nasıl davranması gerektiğini ve adamın beklentilerini nasıl tatmin edeceğini gayet iyi biliyordu. Graf Otto, ondan kendisine arkadaşlık etmesini veya zekice fikirler vermesini beklemiyordu, bunu yapacak bir sürü insan vardı zaten etrafında. Bir süs olmasını, sorunsuz ve uysal bir kadın olarak önce onu tahrik edip, sonra da hayvani hırslarını ustaca tatmin etmesini bekliyordu. Başka erkek ve kadınların kıskanacağı, konumunu ve sosyal mevkiini belli eden pahalı, hoş bir eşya, bir süs olarak görüyordu. Can sıkıcı bir hal aldığı anda ayağını sıkan eski bir ayakkabı gibi fırlatıp atıverirdi. Eva onun yerini almaya can atacak yüzlerce güzel kadın olduğunun farkındaydı. Onun yanında bu kadar uzun kalabilmesi tamamen yeteneklerine bağlıydı.

Graf Otto hevesle, "Berlin'de bulunabilecek en güzel hediyeyi alırım," diye atıldı.

"Paris'ten aldığın o Fortuney imzalı elbisemi de alayım mı? Sence General von Lettow Vorbeck ne düşünür elbisem için?"

"Seni o elbise içinde bir kez görse, muhtemelen aklından geçirecekleri yüzünden tüm medeni ülkelerde hapse atılması gerekirdi." Graf Otto kıkırdadı, sonra, "İsmail," diye bağırdı.

"Bwana Hennie'yi bana yolla! Söyle hemen gelsin."

Birkaç dakika sonra Henri du Rand çadırın kapısında beliriverrmişti. Yanık, hava koşullarıyla yıpranmış yüzünde ciddi bir ifade vardı ve göğsünde tuttuğu lekeli şapkasını yağ bulaşmış parmaklarıyla döndürüp duruyordu.

"Gelsene Hennie. Öyle dikilip durma orada." Graf Otto, adama samimi bir şekilde gülümsedikten sonra Eva'ya baktı. "Bize biraz izin verir misin, *Liebling*. Biliyorsun Hennie, Almanca bilmiyor, o yüzden İngilizce konuşacağız."

"Sen lütfen beni merak etme Graf Otto. Kuş defterimle dürbünüm yanımda. Ben onlarla mutlu olurum." Yanından geçerken adamı öpmek için eğildi, sonra çadırın hemen önündeki bir koltuğa, Leon'un o eğlensin diye yerleştirdiği kuş banyosunu ve yemliğini görebileceği bir yere oturdu. İspinozlar, çulhakuşları ve yabani kanaryalar neşeyle kanat çırpıyorlardı.

Aslında işitme mesafesinde olduğu halde iki adamın konuşmasına aldırmayıp, resim defterine bu minik mücevher gibi yaratıkların eskizlerini yapmaya koyuldu.

Graf Otto, onu neredeyse anında aklından çıkarmış ve bütün dikkatini Hennie'ye yöneltmişti. "Arusha'yı ve civarını ne kadar bilirsin Hennie?"

"İki yıl bir kereste şirketinde çalışmıştım orada. Meru Dağlarının eteklerinde ağaç kesiyorlardı. Bölgeyi iyice tanımıştım."

"Usa Nehri üzerinde askeri bir kale var, *ja?*"

"Ja. Oralarda herkes bilir. Çevredekiler ona Kremalı Şato der. Duvarlarının tepesinde taretlerle,(*) mazgalların bulunduğu beyaz boyasıyla pırıl pırıl parlayan masal kitaplarından çıkmış bir şato."

"Oraya uçacağız. Havadan da bulabilir misin?"

"Hiç uçağa binmedim ama bence bir kör bile o kaleyi elli kilometre uzaktan tanıyabilir."

"Güzel. Yarın şafak vakti yola çıkmaya hazır ol."

"Makinelerinizden biriyle uçabileceğime inanamıyorum efendim." Sırıttı. "Bakım ve yakıt koyma işlerine yardım ederim."

"Sen onu merak etme. O tür ayrıntılarla Gustav ilgilenir. Sen o yüzden gelmiyorsun. Beni eski bir dostunla tanıştırmanı istiyorum."

Kelebek polo sahasından havalandığında güneş hâlâ doğmamıştı. Sabah ayazı yüzünden hava soğuktu ve kokpitteki herkes kocaman örtülere sarınmıştı. Graf Otto yerden üç bin fit yüksekte doğuya doğru uçtu. Rift Vadisi'nin tepesini geçtikten sonra güneş ufukta irkiltici bir hızla yükselip Kilimanjaro'nun tepelerini aydınlatmaya başladı, dağ henüz beş yüz kilometre uzakta olduğu halde bütün güney ufkunu kaplıyordu.

Eva, kumanda panelinin başındaki Graf Otto'nun görüş alanı dışında, arka koltukta yalnızdı. Koruyucu camın önünde, ağır battaniyesine sarılarak büzülmüştü. Saçları uçuş başlığının altındaydı, gözünde de duman rengi gözlük vardı. Gustav'la Hennie kokpitin ön tarafında, manzaraya da-

---

(*) Gemilerde ya da kalelerde, topun makine bölümünü ve topçuları koruyacak biçimde yapılmış zırhlı kale.

lıp gitmişlerdi. Hiçbiri Eva'ya bakmıyordu. Genelde bütün gözler üstünde olurdu ve böyle izlenmemek ona garip geliyordu. Bir seferlik rol yapmak zorunda değildi. Her zaman kendine sakladığı duyguları özgür bırakabilirdi.

Kokpitin sancak tarafından bakınca büyük bir toprak parçasını, Rift Vadisi'nin her tarafını görebiliyordu. O muazzam boşluklar yalnızlığını pekiştiriyordu. Kendini küçük ve önemsiz hissetmesine yol açıyordu. Anlamlı bir insan teması olmadan tümüyle yalnız kalmak sarşmıştı onu. Çaresizliğinin boyutlarını düşündü ve ağladı. Altı yıl önce babasının naaşının çukura indirilişini izlediği o soğuk kasım gününden beri ilk kez gözyaşı döküyordu. O zamandan beri yalnızdı. Çok uzun bir süreydi bu.

Başlıkla gözlüğe sığınarak sessiz ve gizlice ağladı. Bu ani zaaf onu dehşete düşürmüştü. Onca yıl boyunca hep hayal ve hayal kırıklığı arasında gidip gelmek zorunda kalmış, gölgelerle, aynalarla oynamış, hiç bu tür duyguları yoğun yaşamamıştı. Hep güçlü olmuştu. Görevini bilmiş ve aklına koyduğunu kararlılıkla yapmıştı. Ama şimdi değişen bir şey vardı ve onun ne olduğunu anlamıyordu.

Sonra uçağın hızla yana yattığını hissetti ve karşısında beliren koca dağı gördü. Kendi düşünceleriyle öyle meşguldü ki bunu beyninin bir oyunu zannetti. Dağ gümüş bir bulutun üstünde yüzen bir hayal gibiydi. Gerçek olamayacağını biliyordu. Yoksa çaresizliğinin ortasında bir umut işareti miydi? Gökyüzünde, peşini bırakmayan kurt sürülerinden kaçıp saklanabileceği bir cennet miydi? Düşünceleri de zihninde canlanan bu hayal dağı gibi asılsız ve fantastikti.

Sonra, irkilerek bunun bir hayal ürünü olmadığını anladı. Lonsonyo'ydu. Üzerinde yüzermiş gibi göründüğü bulut da eteklerindeki yoğun sisti. Daha Eva bakarken güneşin ısısıyla dağılmaya başlamıştı, Lonsonyo tüm heybetiyle ortaya çıkıyordu.

Çaresizlik hissinden kurtulduğunu ve gücünün geri geldiğini hissetti. Onu bunaltan değişikliklerin ne olduğunu anlamaya başladı. Şimdiye kadar çizdiği yolda sadece gücü sayesinde ilerlediğine inanmıştı, ama aslında onun kaderi olduğunu biliyordu artık. Önünde başka bir yol açılmış değildi. Ama yol değişmişti. Onu bu kadar bunaltan şey çaresizlik değil umuttu. Diğer her şeyden daha ağır basan bir umut.

Kendi kendine, "Aşktan doğan umut," diye fısıldadı. Daha önce hiç âşık olmamıştı. Daha önce hiçbir erkeğe güvenememişti. Daha önce hiçbir erkeğin gizli, iyi korunan yerlerine girmesine izin vermemişti. O yüzden bu duygu bu kadar yabancıydı. O yüzden hemen tanıyamamıştı. Şimdi, umut etme cesareti veren bir erkek bulmuştu. Şu ana kadar ona direnmişti, çünkü birbirlerini iyi tanımıyorlardı. Ama artık direnci kırılmıştı. Onu içeri almıştı. Kendine rağmen ona teslim olmuştu. Hayatında ilk kez birine güvenmiş ve kayıtsız şartsız aşkını sunmuştu.

Bu yeni umudun onu gözyaşlarına boğup aklını çeldiğini hissetti. Porsuk, ah Porsuk! Birlikte yürüyeceğimiz yolun uzun ve zor olacağını biliyorum. Karşımıza pek çok tuzak ve çukur çıkacak. Ama kesinlikle biliyorum ki, ikimiz birlikte kendi dağımızın zirvesine çıkacağız.

Graf Otto uçağı havadar kanyonlardan geçirdi, Kilimanjaro Dağı'nın bitmek bilmez karlı yamaçları ve ışıldayan buzulları üstlerinde heyula gibi yükseliyor, gölgeleri üstlerine düşüyordu. *Kelebek* bir süre dağın üç sönmüş volkanik zirvesi arasında oluşan hava akımıyla sürüklendi. Sonra Kilimanjaro'nun etkisinden kurtuldu ve güneşli gökyüzünde yoluna devam etti. Ama tam karşılarında şimdi de başka bir dağ silsilesi vardı ve Meru geride bıraktıkları dağdan çok farklıydı. Eva Kilimanjaro erkekse, Meru dişi diye düşünerek eğlendi. Daha alçak ve zarifti, kaya ve buzdan ibaret değildi, sık yeşil ormanlarla kaplıydı.

Hennie du Rand, Graf Otto'ya yeni rotalarını gösterdi. Graf Otto uçağı, Meru'nun alçak tepelerinin önünde hızla yan çevirdi ve dağın eteğinde konumlanmış olan Arusha'nın üstünden geçti. Daha sonra Hennie ileriyi işaret etti ve hepsi birden nehrin kıyısına oturtulmuş olan Usa Kalesi'nin mazgallı bembeyaz duvarlarını gördüler. Yaklaştıkça ortadaki kuleye çekilmiş olan bayrağı da seçebildiler, hafif rüzgârla dalgalanıyordu.

Kırmızı, sarı ve siyah zemin üstünde Almanya'nın çift kafalı siyah imparatorluk kartalı vardı.

Graf Otto biraz daha alçalıp beyaz duvarları geçerken mazgallardaki üniformalı figürler başlarını kaldırıp baktılar. Bir personel aracı ana kapılardan çıktı ve ortalığı tozu dumana katarak Usa Nehri kıyısından açık alana doğru ilerlemeye başladı. Graf takdirle başını salladı. Araç kendi fabrikasının en son modellerinden biriydi. Arka koltukta iki adam oturuyordu.

Graf Otto'nun istediği gibi, nehir kıyısına paralel bir şerit hazırlanmıştı. Toprak sabanla işlenmiş gibiydi ve kökünden sökülmüş ağaçlar kenara rastgele dikilmişti. Pistin diğer ucundaki direğin tepesine bir rüzgâr hortumu asılmıştı. Pistin konumunda telgrafta Albay von Lettow Vorbeck'e tarif ettiği gibiydi. Kolayca yere indi ve *Kelebek*'i personel aracının bulunduğu yere kadar götürdü. Aracın açık kapısının önünde tek ayağını marşpiyer'e[*] dayamış üniformalı bir Alman subayı bekliyordu.

Graf Otto uçağın merdiveninden yere ayak basar basmaz subay karşılamaya geldi. Uzun boylu, ince ama geniş omuzlu bir erkekti, gri renkli günlük üniforma giymiş, başına da sıcak ülkelere has, koruyuculu bir şapka takmıştı. Yakasında kırmızı ve altın renkli subay rütbeleri, boynunda birinci sınıf Demir Haç Nişanı vardı. Kırpık bıyığına yer yer ak düşmüştü. Bakışları dik ve deliciydi.

Sıkı bir selam çakarken, "Kont Otto von Meerbach?" diye sordu. "Ben Albay Paul von Lettow Vorbeck." Sesi de sert ve keskindi, emir vermeye alışık olduğu belliydi.

"Evet albay. Onca yazışmadan sonra sizi tanıdığıma sevindim." Graf Otto adamla tokalaşırken dikkatle yüzünü inceledi. Berlin'den ayrılmadan önce Unter den Linden'deki ordu karargâhına özel bir ziyaret yapmış ve kendisine von Lettow Vorbeck'in sicil kayıtları gösterilmişti. Etkileyici

(*) Otomobillerin kapı altlarında bulunan ve ön tampondan arka tampona kadar uzanarak gövdeyi alçak göstermeye yarayan aksesuvar. Marşpiyel olarak da bilinir.

bir belgeydi. Muhtemelen onun rütbesinde olup da bu kadar çok aktif görev alan başka bir subay yoktu. Çin'de Boxerler'in bastırılmasında görev almıştı. Alman Güneybatı Afrika'sında, Hererolar'a karşı yaptığı amansız soykırımda Trotha'nın emrinde çarpışmıştı. Altı bin erkek, kadın ve çocuk, yani tüm kabilenin yarıdan çoğu katledilmişti. Bundan sonra von Lettow Vorbeck Kamerunlardaki Schutztruppe'nin komutanı olmuş, sonra da aynı görevle Alman Doğu Afrika'sına gelmişti.

"Albay, Fräulein von Wellberg'i takdim edebilir miyim?"

"Anşante Fräulein." Von Lettow Vorbeck tekrar selam verdikten sonra topuklarını çarptı ve başını eğerek Eva'nın aracın arkasına binmesi için kapıyı tuttu. Gustav'la Hennie'yi uçağa göz kulak olsunlar diye bırakıp kaleye doğru yola çıktılar.

Graf Otto doğruca konuya girdi. Albayın doğrudan bir yaklaşım bekleyeceğini ve bunu takdir edeceğini biliyordu. "Güneyden gelecek konuğumuz sağ salim geldi mi albay?"

"Kalede sizi bekliyor."

"Ne diyorsunuz? Şanına layık biri mi sizce?"

"Bunu anlamak zor. Ne Almanca, ne de İngilizce biliyor, sadece kendi anadili olan Güney Afrika Hollandacası biliyor. Korkarım kendisiyle iletişim kurmakta biraz güçlük çekeceksiniz."

"Bunu tahmin ediyordum. Yanımda getirdiğim adamlardan biri de Hollanda kökenli Güney Amerikalı. Aslında, Güney Afrika'da de la Rey komutasında İngilizlere karşı çarpışmış. Üstelik tıpkı sizin gibi İngilizcesi de iyi albay. İletişim sorunumuz olmayacak."

"Mükemmel! Kesinlikle kolaylaşacak işimiz." Kalenin iç avlusuna girerlerken von Lettow Vorbeck başını salladı. "Yolculuktan sonra siz ve Fräulein von Wellberg banyo yapıp biraz dinlenmek istersiniz. Yüzbaşı Reitz, sizin için hazırlanan bölüme kadar eşlik edecek. Saat dörtte, yani iki saat sonra, Reitz, sizi alıp de la Rey'le yapacağımız toplantıya getirecek."

Von Lettow Vorbeck'in söz verdiği gibi, Reitz saat tam dörtte misafir süitinin kapısını vurdu.

Graf Otto saatine baktı. "Dakik. Hazır mısın Eva?" Dakiklik, Eva dahil çevresindeki herkesten beklediği bir şeydi. Genç kadını tepeden tırnağa süzdü. Eva özenle hazırlanmıştı ve ne kadar güzel olduğunun farkındaydı.

"Evet Graf Otto. Hazırım."

"Bu o Fortuny imzalı elbise mi? Üzerinde şahane duruyor." Yüzbaşı Reitz'e seslenince adam içeri girip saygıyla selam verdi. Arkasında da Hennie du Rand duruyordu. Temiz gömlek giyip tıraş olmuş ve saçlarına briyantin sürmüştü.

Eva, "Çok şık görünüyorsun Hennie," dedi. Bu sözleri anlayacak kadar Almancası olan Hennie yanık teninin altından kızardı.

Reitz, "Hazırsanız lütfen beni takip eder misiniz efendim?" dedi ve onun peşinden taş duvarlı koridoru geçip, döner merdivenden mazgallara çıktılar. Terasta Albay von Lettow Vorbeck bir tentenin altında onları bekliyordu. Üzerinde çeşitli içkiler ve mezeler olan ağır, tik ağacından bir masada oturuyordu.

Mazgallı siperlerin diğer ucunda siyah frak ceket giymiş uzun boylu başka bir erkek daha duruyordu. Nehrin üzerinden, uzakta puslar içinde yükselen Meru Dağlarına bakıyordu.

Von Lettow Vorbeck gelenleri karşılamak üzere ayağa kalktı ve kibarca kaldıkları yerin yeterince rahat olup olmadığını sorduktan sonra ilgiyle Hennie'yi süzdü.

"Bu du Rand, size bahsettiğim kişi." Graf Otto, adamları tanıştırdı. "De la Rey'le birlikte çarpışmış." Adının geçmesi üzerine mazgallı siperlerin diğer ucunda duran siyahlı erkek onlara doğru döndü. Altmışlı yaşlardaydı ve gümüş rengi saçları seyrelmiş, genişleyen alnı kubbemsi bir görünüm almıştı. Şapkasının koruduğu kısımlarda teni beyaz ve düzgündü. Başında kalan lüleler omuzlarına kadar iniyordu ve siyah giysisinde kepek vardı. Sakalı gür ve el değmemişti. Burnu iriydi, ince dudakları katı ve boyun eğmez görünüyordu. Çukura kaçmış gözleri İncil'de geçen kâhinlerinki gibi delici ve fanatikti. Aslında sağ elinde de küçük bir İncil vardı ve Graf Otto'ya doğru ilerlerken frak ceketinin cebine koymuştu.

Von Lettow Vorbeck, "Bu General Jacobus Herculaas de la Rey," diye söze başladı, ama daha sözünü bitiremeden Hennie, adama koşup önünde tek dizinin üstüne çöktü.

"General Koos! Yalvarırım duanızı benden esirgemeyin."

De la Rey eğilip ona baktı. "Benim önümde diz çökme. Rahip değilim, artık general de değilim. Çiftçiyim. Ayağa kalk be adam!" Sonra Hennie'ye daha yakından baktı. "Yüzünü hatırlıyorum ama adını unutmuşum."

"Du Rand, general. Hennie du Rand." Hennie hatırlanmaktan dolayı mutlulukla ışıldıyordu. "Nooitgedacht ve Ysterspruit'te sizinleydim." Bunlar Boer'lerin savaşta kazandıkları iki önemli zaferdi. Ysterspruit'te de la Rey'in uçan komandoları o kadar çok İngiliz deposunu ele geçirmişti ki küçük Boer Ordusu bir yıl daha çarpışacak şekilde tepeden tırnağa donanmıştı.

"*Ja,* hatırladım seni. İngilizler etrafımızı çevirdiğinde, Langlaagte'deki çarpışmadan sonra nehri geçerken bize rehberlik etmiştin. O gece komandoların hayatını kurtardın. Burada ne işin var asker?"

"Elinizi sıkmaya geldim general."

Hennie'nin elini güçlü bir şekilde sıkan de la Rey, "O zevk bana ait!" dedi. Adamlarının ona niye bu kadar saygı ve hayranlık beslediğini anlamak kolaydı. "Özgür cumhuriyetimizden neden ayrıldın Hennie?"

"Çünkü orası artık ne cumhuriyet, ne de özgür. Adına İngiliz İmparatorluğu dedikleri yabancı bir ülkenin toprağı."

"Yine cumhuriyet olacak. O zaman benimle gelecek misin? Senin gibi iyi çarpışacak adamlara ihtiyacım var."

Hennie cevap veremeden Graf Otto öne çıktı. "Lütfen generale böyle yürekli bir asker ve vatanseverle tanışmaktan büyük onur duyduğumu söyle." Hennie çevirmen rolünü hemen benimsedi, önce tanışma faslını bitirdi, sonra da tentenin altında de la Rey'in yanında yerini aldı.

İlk başta hem von Lettow Vorbeck, hem de general, Eva'nın toplantıda bulunmasından rahatsız oldular ve Graf Otto özür diledi. "Umarım Fräulein von Wellberg'in aramızda bulunmasında sakınca yoktur. Bugün burada konuşulacak hiçbir şey onun tarafından başka bir yerde söylenmez. Fräulein ünlü bir sanatçıdır. Sizin de izninizle beyler, bu tarihi oturumda, bizler konuşurken portrelerinizi yapmasını rica ettim kendisinden." Von Lettow ve de la Rey başlarıyla onayladılar. Eva da bir tebessümle adamlara teşekkür etti ve çizim defteriyle kalemini masaya koyup çalışmaya başladı.

Graf Otto dönüp de la Rey'e baktı. "Hennie du Rand çevirmenliğimizi yapacak general. Albay von Lettow Vorbeck'le ben İngiliz diline tamamen hâkim olduğumuz için görüşmeyi bu dille yapacağız. Sizin için de uygun mudur?" Hennie bu sözleri çevirince de la Rey başıyla onayladı ve Graf Otto devam etti. "Önce Berlin'deki dışişleri bakanlığının güven ve yetki mektubunu takdim etmek istiyorum." Mektubu masanın üzerinden uzattı.

Hennie yüksek sesle okurken de la Rey dikkatle dinledi ve sonra, "Kim olduğunuzu bilmesem deniz altındaki o korkunç yolculukla buralara gelmezdim Graf Otto," dedi. "İngilizlerle yaptığımız savaşta Almanya güvenilir bir müttefik ve iyi bir dost oldu bize. Bunu asla unutamam. Sizleri hâlâ dost ve müttefik olarak görüyorum."

"Teşekkürler general. Bana ve ülkeme büyük bir onur bahşediyorsunuz."

"Ben basit bir insanım Graf. Açık ve sade konuşmayı severim. Beni buraya niye davet ettiğinizi söyleyin."

"Büyük bir cesaret ve kararlılıkla çarpıştıkları halde Afrikanerler büyük bir yenilgi ve hakarete maruz kaldı." De la Rey bir şey demedi, ama gözleri kederlenmiş ve koyulaşmıştı. Graf Otto bir süre bekledikten sonra konuşmaya devam etti. "İngilizler savaşçı ve hırslı bir millettir. Dünyanın çoğunu ele geçirdikleri halde fetih iştahları tatmin olmuş değil. Her ne kadar Almanlar barışçı bir ulus olsa da, biz de kendimizi koruyacak kadar gururlu ve bunu yapmaya istekliyiz."

De la Rey çeviriyi dinledi. "Çok ortak noktamız var," diye kabul etti. "Bizler de bu tiranlığa direnme iradesine sahibiz. Çok ağır bedeller ödedik, ama ne ben ne de benim gibi pek çok kişi bundan pişman değil."

"Yeniden bir karar vermek zorunda kalacağınız günler hızla yaklaşıyor. Onurunuzla mücadele etmek ya da utanç ve rezillik içinde boyun eğmek. Almanya da aynı ölümcül tercihle yüz yüze kalacak."

"Halklarımızın kaderi birbirine bağlı gibi görünüyor. Fakat Britanya büyük bir düşman. Donanması dünyanın en güçlü donanması. Eğer Almanya bununla savaşmak zorunda kalacaksa planınız nedir? Kayzer Afrika'daki kolonilerinizi savunmak için bir ordu gönderecek mi?"

"Bu konuda farklı görüşler var. Ülkemizde hâkim olan görüş, kolonilerimizin kendi topraklarında değil, Kuzey Denizi'nde savunulması gerektiği."

"Bu görüşe siz de katılıyor musunuz Graf? Afrika'daki kolonilerinizi ve eski müttefiklerinizi terk mi edeceksiniz?"

"Bu soruya cevap vermeden önce gerçekleri gözden geçirelim. Almanya'nın ekvatorun güneyinde iki tane Afrika kolonisi var, biri güneybatı kıyısında, diğeri de doğu sahilinde. Her ikisi de Almanya'dan binlerce kilometre uzakta ve birbirlerine de hiç yakın değiller. Şu anda onları koruyan askeri birlikler küçük. Güneybatı Alman kolonisinde yaklaşık üç bin tane daimi Schutztruppe, yedi bin göçmen var ve bu göçmenlerin çoğu da ordunun yedek listesinde veya askeri eğitim almış kişiler. Burada, Alman Doğu Afrika'sında da sayılar aşağı yukarı aynı." Graf Otto, von Lettow Vorbeck'e baktı. "Yanılıyor muyum albay?"

"Haklısınız aynı gibi. Benim komutam altında iki yüz altmış beyaz subay ve iki bin beş yüz *askari* var. Bunlara ek olarak kırk beş beyaz subay ve iki binden biraz fazla sayıda *askari jandarma* gücü mevcut. Savaş zamanında onlar da savunma görevi yapacaktır."

Graf, "Böylesine muazzam toprakları savunmak için çok zavallı bir güç," dedi. "Kıtayı kuşatan okyanuslara hâkim bir İngiliz Kraliyet Donanması oldukça, bu iki küçük orduya destek ve malzeme tedarik etmek de mümkün olmayabilir."

Von Lettow Vorbeck, "Cesaret kırıcı bir durum olduğu doğru," dedi. "Biz de, siz Boer'lerin Güney Afrika'da büyük bir başarıyla uyguladığınız gibi gerilla taktikleri uygulamak zorunda kalırız."

Graf Otto yumuşak bir sesle, "Eğer Güney Afrika, Almanya'nın yanında savaşa girerse her şey önemli ölçüde değişir," dedi. O da von Lettow Vorbeck de ısrarla de la Rey'e bakıyorlardı.

"Bunların hiçbiri benim için tamamen yeni sayılmaz. Ben de bu konularda oldukça kafa yordum ve eski silah arkadaşlarımla tartıştım." De la Rey düşünceli bir tavırla sakalını okşadı. "Ancak, Smuts ve Botha kalplerini ve ruhlarını İngilizlere sattılar. Şimdi dizginler onların elinde. Sıkıca tutuyorlar, ama bu gevşetilemez de değil. Güney Afrika nüfusunun büyük bir kısmı İngiliz soyundan geliyor ve kalpleri İngiltere için atıyor."

Graf Otto, "Güney Afrika ordusunun durumu nedir?" diye sordu. "Sayıları nedir, komuta kimde?"

De la Rey, "Hiç istisnasız bütün kıdemli subaylar Afrikaner ve İngilizlere karşı savaşmış kişiler," diye cevap verdi. "Buna taraf değiştiren Smuts ve Botha da dahil. Ancak, onların peşinden gitmeyen oldukça çok adamları var."

Von Lettow Vorbeck, "Savaş neredeyse on dört yıl önce bitti," diye belirtti. "O zamandan bu yana çok şey değişti. Eski Güney Afrika Cumhuriyetlerinin dördü de Güney Afrika Birliği adı altında birleşti. Boer'ler artık eskisinin iki katı güce ve etkiye sahip. Bununla yetinecekler mi, yoksa Almanya'dan yana çıkarak durumlarını riske atacaklar mı? Boer'ler savaşmaktan yorulmadı mı? Artık Britanya İmparatorluğu'nun bir parçası oldular. Smuts ve Botha eski silah arkadaşlarını Almanya aleyhine döndürmeyi başardı mı?" Von Lettow'la Graf Otto yaşlı Boer'in cevap vermesini beklediler.

Sonunda, "Haklı olabilirsiniz," dedi. "Belki zaman Afrikanerlerin bazı yaralarını iyileştirmiş olabilir, ama yaraların izleri hâlâ duruyor. Şimdi bunu bırakalım. Diyelim ki şu an var olan Güney Afrika Ordusu, yani Birleşik Savunma Gücü bilindiği haliyle olsun. Yenilmesi zor bir ordu, belki altmış bin kişilik ve iyi donanımlı. Afrika'nın güneyini ta Nairobi ve Windhoek'ten Ümit Burnu'na kadar kontrol etme gücüne sahip. Hangi hükümetin elinde olursa olsun, kıta etrafındaki deniz yollarına ve limanlara hâkim durumda. Witwatersrand'deki altın madenlerinin, Kimberley elmas madenlerinin ve Transvaal'deki yeni çelik ve teçhizat fabrikalarının muazzam gücü elinin altında. Eğer Güney Afrika oyunu Almanya'dan yana kullanırsa, Britanya büyük bir baskı altında olacaktır. Koca bir orduyu Avrupa'dan buraya göndermek zorunda kalır. Kraliyet Donanması da bölgeyi savunmak ve malzeme temin etmek için sınırlarını sonuna kadar zorlar. Güney Afrika, böyle bir savaşı kimin kazanacağını belirleyen bir güç olabilir."

"Siz yine İngilizlere karşı olmaya karar verirseniz eski silah arkadaşlarınız hangi tarafı tercih eder? Botha ve Smuts'un İngilizleri destekleyeceğini biliyoruz, ama ya diğer eski komando liderleri? Wet, Maritz, Kemp, Beyers ve diğerleri ne yapacak? Sizin yanınızda mı yer alırlar yoksa Botha'nın mı?"

De la Rey yumuşak bir sesle, "O adamları tanıyorum," dedi. "Birlikte çarpıştık ve yüreklerinin içini gördüm. Çok uzun zaman önceydi, ama İngilizlerin onlara, kadınlarına ve çocuklarına, sevdiğimiz ülkeye yaptığı korkunç şeyleri unutmadılar. Benimle birlikte bütün güçleriyle düşmanla savaşacaklarından eminim ve benim için düşman hâlâ Britanya'dır."

"Sizden duymayı umduğumuz da buydu general. Kayzer ve hükümetim, silahla para konusunda tüm ihtiyaçlarınızın karşılanacağı garantisini vermemi istedi."

De la Rey, "Bunlara ihtiyacımız var," diye doğruladı. "Özellikle de başlangıçta, kontrolü Botha'nın elinden almadan ve Pretoria'daki Reserve Bankası'nda duran parayla askeri mühimmata el koymadan önce."

“Neye ihtiyacınız varsa söyleyin general. Berlin’den temin edeceğim.”

“Yiyecek ya da üniformaya ihtiyacımız yok. Mısır yetiştiren çiftçiler olduğumuz için kendimizi besleriz. Daha önce yaptığımız gibi günlük kıyafetlerimizle çarpışırız. Küçük silahlar da gerekmez. Herkesin Mauser’ı hâlâ duruyor.”

Graf Otto, “Peki neye ihtiyacınız var o zaman?” diye ısrar etti.

“Başlangıç olarak, yüz elli tane ağır makineli tüfekle elli siper havanına ve bunların cephanesine ihtiyacım var. Diyelim ki bir milyon mermi ve beş yüz havan topu. Sonra tıbbi malzeme...” Graf Otto, de la Rey ihtiyaçlarını sayarken not almaya başlamıştı.

Von Lettow Vorbeck, “Ağır top?” diye sordu.

“Hayır. İlk saldırılar hız ve şaşırtmaya dayalı olacak. Bunlarda başarılı olunursa zaten hükümetin cephaneliklerini ve ağır toplarını ele geçirmiş olacağız.”

“Başka ne gerekiyor?”

De la Rey sadece, “Para,” dedi.

“Ne kadar?”

“Altın sikkeler halinde iki milyon sterlin.”

Tutarın yüksekliği yüzünden bir an herkes sessiz kaldı. Sonra Graf Otto, “Bu büyük bir para,” dedi.

“Güney yarıküredeki en zengin toprağın bedeli. Altmış bin eğitimli ve tecrübeli askerden oluşan ordunun bedeli. İngilizlere karşı kazanılacak zaferin bedeli. Gerçekten yüksek bir bedel olduğuna inanıyor musunuz Graf?”

“Hayır!” Graf Otto anlayışlı bir şekilde başını salladı. “Böyle bakınca adil bir rakam. İki milyonunuzu da alacaksınız. Garanti ediyorum.”

“Bütün bunlar, para ve silahlar Güney Afrika’daki üslerimize ulaşmadıkça işe yaramaz.”

“Size nasıl ulaştırmamız gerektiğini de söyleyin.”

“Ana limanlardan, yani Cape Town veya Durban’dan ulaştıramazsınız. Gümrük kontrolleri çok sıkı. Ancak, Güney Afrika’nın güneybatıdaki koloninizle ortak bir sınırı var. Bir demiryolu hattında birleşiyorlar. Güney Afrika Demiryolları'nın yöneticileri ve çalışanları neredeyse tamamen Afrikanerdir. Davamıza sıcak bakacaklarını düşünüyorum. Bir başka seçenek de, buradan, yani Alman Doğu Afrika'sından Rodezya'daki bakır yataklarına giden bir gemiye yüklemek, oradan da yine demiryoluyla güneye nakletmek olabilir."

Von Lettow Vorbeck düşünceli görünüyordu. "Malzemeleri bu yollardan size ulaştırmak haftalar, hatta aylar sürer. Yük her aktarma noktasında keşfedilip düşmanın eline geçebilir. Çok riskli olur." İki adam da alternatif bir planı var mı, diye Graf Otto'ya baktı.

De la Rey, "Siz ne yapabilirsiniz bunları bize ulaştırmak için?" diye sordu. Herkes umutla onun cevabını bekliyordu.

Eva sakin bir şekilde çizmeye devam etti. Belli ki konuşmaların tek kelimesiyle bile ilgilenmemişti, ama Graf Otto önce ona, sonra Hennie'ye bir göz attı ve hafifçe kaşlarını çattı. Bir süre daha sessiz kalıp derin derin düşündü, bir yandan da masada trampet çalıyordu. Sonra bir karara varmış gibi göründü. "Yapılabilir. Yapılacak. Size söz veriyorum general. İstediğiniz her şeyi istediğiniz yere ulaştıracağım. Fakat şu andan itibaren ilkemiz gizlilik. Çok kısa bir süre sonra bu konuda sadece size ve Albay von Lettow'a bilgi vereceğim. Bu aşamada bana güvenmenizi istemek durumundayım."

De la Rey ateş saçan fanatik gözlerini yüzüne dikti ve Graf Otto, onun bakışlarına sükûnetle karşılık verdi. Sonunda de la Rey önünde duran çift başlı kartal kabartması antetli kâğıdı aldı. "Bu, kayzerinizin ve hükümetinizin garantisi. Halkımı bir kere daha bir katliama maruz bırakmam için yeterli değil."

Graf Otto ile von Lettow Vorbeck konuşmadan ona bakmaya devam ettiler. Bütün planlar suya düşmüş görünüyordu.

Sonra de la Rey devam etti. "Bana bir garanti daha sundunuz Graf. Bana söz verdiniz. Büyük dağları yerinden oynatan bir adam olduğunuzu biliyorum. Başarılarınız efsaneleşmiş durumda. Başarısızlık ihtimalini dahi kabul edemeyecek biri olduğunuzu biliyorum." Tekrar, düşüncelerini toparlamak üzere durdu. "Ben mütevazı bir adamım, ama bir tek yeteneğimle gurur duyarım. İnsanları ve atları değerlendirme yeteneğimle. Siz bana söz verdiniz, şimdi de ben size söz veriyorum. Günün birinde Afrika'da yine savaş çıkacak olursa, arkamda altmış bin kişilik güçlü ordumla sizin için hazır olacağım. Bana elinizi verin Graf. Bu günden itibaren ölene kadar müttefikinizim."

Son dört gündür Leon Courtney *Arı*'yla savanın(*) üzerinde alçaktan uçuyordu. Manyoro ile Loikot kokpitin ön kısmına tünemiş, av arayan atmacalar gibi etrafı inceliyorlardı. Belki iki yüzün üzerinde aslan bulmuşlardı, ama hepsi ya dişiler ve yavruları ya genç erkekler ya da dişsiz kalmış ihtiyarlardı. Fakat Kichwa Muzuru onlara, "En büyük ve yeleleri cehennem kazanı kadar kara bir aslan," demişti. Şimdiye kadar bu tarife yaklaşan bile olmamıştı.

Dördüncü gün Manyoro, Masai ülkesinde aramaktan vazgeçerek kuzey sınır bölgesine uçup Turkana Gölü ile Marsabit arasında kalan vahşi bölgeyi araştırmak istemişti. "Orada her akasya ağacının altında vahşi bir aslan buluruz; aslanlar Kichwa Muzuru'yu bile mutlu edecek kadar büyük ve vahşi olur."

Loikot gitmeye şiddetle karşı çıkmıştı. Leon'a Natron Gölü ile Rift Vadisi'nin batı duvarı arasındaki büyük bölgede bir çift efsanevi aslan olduğunu söylemişti. "O aslanları gayet iyi tanıyorum. Yıllarca babamın sürüsünü güderken onları izledim. İkizler, on bir yıl önce, daha ben çocukken çekirge istilası olduğunda doğdular. Yıllarca büyüyüşlerini, güçlenip

(*) Düz çayırlık alan.

cesaret kazanışlarını izledim. Artık en iyi çağa geldiler. Bütün ülkede onlarla kıyaslanacak aslan yok. En az yüz tane sığır öldürmüşlerdir," diyordu. "Onları avlamaya gelen *morani*'lerin de sekizini öldürdüler. Çok vahşi ve kurnaz oldukları için kimse başa çıkamadı. Bazı *morani*'ler, hayalet aslanlar olduklarına, peşlerine birileri düşünce ceylan veya kuşa dönüşebildiklerine inanıyor."

Manyoro dalga geçip gözlerini devirmiş ve elini şakağına götürerek Loikot'un deli olduğunu anlatmaya çalışmıştı. Fakat Leon da Loikot'a arka çıktı ve son birkaç gün boyunca engin bölgeyi taradılar. Büyük bizon sürüleri ve binlerce başka çeşit av hayvanı buldular, ama gördükleri aslanlar ya gençti ya da mızrak kaldırmaya bile değmeyecek kadar yaşlı.

O gece, kamp ateşinin başında otururken, Loikot heveslerini yeniden canlandırmaya çalıştı. "Sana söylüyorum M'bogo, o ikisi bütün vadinin en güçlü hayvanları. Onlardan daha büyüğü, daha vahşisi, daha akıllısı yok. Tam Kichwa Muzuru'nun bulmamızı istediği aslanlar."

Manyoro boğazını temizleyip ateşe tükürdü ve sonra balgamının alevlerin içinde kaybolmasını izleyerek fikrini söyledi. "Günlerdir bu hikâyeyi dinliyorum Loikot. Artık bir kısmına inanır gibi oldum. Bu hayvanlar sahiden kuş olup uçabiliyorlar. Öyle düşünüyorum. Minik serçeler oluyorlar ve pır diye uçup gidiyorlar. Bence bu kuş aslanlardan vazgeçip gerçek bir aslan bulmak için Marsabit'e gitmemiz gerek."

Alınmış olan Loikot kollarını göğsünde kavuşturup kibirle Manyoro'ya baktı. "Sana kendi gözlerimle gördüm diyorum. Buradalar. Kalırsak mutlaka buluruz." Karar versin diye Leon'a baktılar.

Leon kahvesini bitirip fincanını ateşe doğru silkeledikten sonra durumu düşündü. *Arı*'nın yakıtı azalmaya başlamıştı ve ancak bir iki gün daha idare ederdi. Kuzeye gideceklerse yol için daha fazla malzeme gerekirdi. Bu da günler sürerdi ve Graf Otto sabırlı biri değildi. "Bir tek gün daha Loikot." Karar verilmişti. "Ya o aslanları yarın bul ya da onları bırakıp Marsabit'e gidelim."

Ertesi sabah güneş doğmadan kalktılar ve bir gün önce bıraktıkları yerden aramaya devam ettiler. Bir saat sonra, Percy Kampı'ndaki pistten kırk kilometre ötede, Leon çok büyük bir bizon sürüsünün göl kıyısında su içtiği yerden ayrılıp savana doğru koşmakta olduğunu fark etti. Sürüde binden fazla hayvan olmalıydı. Önden büyük erkekler koşuyor, inekler, düveler ve daha küçükler de bir kilometre kadar geriden geliyordu. Uçağı onlara doğru yatırdı. Aslanların geride kalan zayıfları ve ağırları yakalamak üzere sık sık bu tür büyük sürüleri kovaladığını biliyordu.

Loikot aniden bulunduğu yerde heyecanlı bir şekilde el kol hareketleri yapmaya başladı ve Leon, onu heyecanlandıran şeyi görmek üzere uzanıp baktı. Bir çift bizon sürüden kopmuştu ve üç yüz metre kadar geriden gidiyordu. Uzun otları olan bölgeden yan yana yürüyerek ilerliyorlardı. Otlar yüzünden sadece sırtları görünmekteydi ve Leon erkek olduklarına karar verdi. Gövdeleri iri ve karaydı, ama gençtiler ve Loikot'un onları görünce niye bu kadar coştuğunu anlamamıştı.

Daha sonra hayvanlar uzun otların arasından çıkıp açık bir alana girdiler ve Leon vücudundaki tüm sinirlerin gerildiğini hissetti. Bunlar bizon değil aslandı. Daha önce bu renkte ve bu büyüklükte aslan görmemişti. Arkalarından vuran sabah güneşi kibirli hallerini iyice vurguluyordu. Durup, yaklaşan uçağa bakarlarken, kapkara yeleleri kabarmış, rüzgârla dalgalanıyordu.

Leon iyice alçalıp tekerlekleri yere değdirdi. Onlar doğruca üstlerine giderken aslanlar yelelerini kabartıp uzun, siyah püsküllü kuyruklarını giderek artan bir sinirle sağrılarına çarpmaya başladılar. Bir tanesi yere yapışıp kısa otların içine sinerken, diğeri arkasını dönüp açıklığın sonundaki sık çalılara doğru koşmaya başladı. Leon sinmiş hayvanın tepesini sıyırarak geçti ve vahşi sarı gözlerine baktı. Sonra diğerinin peşinden daldı. Hayvan uçağın yaklaştığını duyunca dörtnala koşmaya başladı, yeleli omuzları sarsılıyor, öldürdüğü hayvanın etiyle dolu olan karnı iki yana sallanıyordu. Leon üstünden geçip giderken koca yeleli kafasını çevirip bir kez daha hırladı.

Leon yumuşak bir açıyla yükseldi ve kampın aşağısındaki piste doğru döndü. Yirmi dakikalık bir uçuştu, ama yere inip iki Masai ile bir eylem planı yapması gerekiyordu. Manyoro daha önceki itirazlarını unutmuş gibiydi ve o da Loikot kadar sevinmiş, hoplayıp zıplayarak kahkahalar atıyordu.

"Bu aslanlar iyice şamata yapacaklar. Graf Otto, von Meerbach, *assegai*'ni bilemeye başlasan iyi olur. Lazım olacak." Leon rüzgâra karşı güldü. Dönüp o muhteşem hayvanlara bir daha bakmak için can atıyordu. Ama onları bir daha taciz etmenin akıllıca olmayacağını da biliyordu. Eğer Loikot'un dediği kadar kurnaz ve tedbirliyseler onları ormana kaçırabilirdi ve onları orada bulmak çok daha zor olurdu.

Kendi hallerine bırak, diye düşündü. O kaçık von Meerbach'ı buraya getirene kadar keyiflerince yaşasınlar.

Leon yere inip *Arı*'yı Percy Kampı'nın aşağısındaki pistte ilerletmeye başladığında iki Masai hâlâ sevinç içindeydi. Motorları susturunca Loikot neşeyle, "Sana söylemiş miydim Manyoro?" diye sordu. Sonra hemen kendisi cevap verdi: "Evet, sana söylemiştim! Ama sen, bana inandın mı Manyoro? Hayır, inanmadın! Hangimiz aptal ve inatçıymış? Ben mi, Manyoro? Hayır! Hangimiz büyük bir avcı ve aslan bulucusuymuş? Sen mi Manyoro? Hayır! Loikot'muş!" Manyoro utanmış gibi ellerini yüzüne kapatınca da soylu ve gururlu bir tavır takındı.

Leon, "Sen Afrika'nın en büyük iz sürücüsün ve şaşılacak kadar güzelsin Loikot," diye araya girdi. "Ama şimdi işimiz var. Dönüp aslanlarının yanına gitmen gerek, ben Kichwa Muzuru'yu ava getirene kadar orada bekle. Yakından takip et, ama sakın kaçıracak kadar yaklaşma."

Loikot, "Ben o aslanları tanıyorum. Elimden kaçamazlar," diye böbürlendi. "Gözümün önünden ayırmam."

"Biz dönünce uçağın sesini duyarsın, hemen küçük bir ateş yak. Dumandan bulurum seni."

"Gözümü aslanlardan, kulağımı da uçak sesinden ayırmam."

Leon, Manyoro'ya döndü. "Bugün aslanları bulduğumuz bölgenin şefi kim?"

"Adı Massana, *manyatta*'sı da Tembu Kikuu'da, yani Büyük Filin Yeri'nde."

"Sen de ona gitmelisin Manyoro. Aslanlarından her biri için yirmi sığır ödül olduğunu söyle. Ama buraya onları geleneksel yollarla avlamak üzere bir *mzungu* getirdiğimizi de anlat. Massana av için *morani*'lerinden elli tanesini toplasın, fakat öldürme işini sadece Kichwa Muzuru yapacak."

"Anladım M'bogo, ama Massana'nın anlayacağını sanmıyorum. Bir *mzungu, assegai* ile aslan avlayacak? Daha önce duyulmuş şey değil. Massana, Kichwa Muzuru'yu deli sanacak."

"Manyoro, Kichwa Muzuru'nun gerçekten de beynini kurtlar kemirmiş vahşi bir hayvan kadar deli olduğunu sen de ben de biliyoruz. Ama söyle, Massana onun kafasının durumunu fazla düşünmesin. O daha çok yirmi baş sığırı düşünsün. Ne dersin Manyoro? Massana bu işte bize yardım edecek mi sence?"

"Massana yirmi sığıra on beş karısıyla kızlarını bile satar, hatta belki anasını da. Tabii ki yardım edecek."

Leon, "*Manyatta*'sının yakınlarında uçağı indirebileceğim bir yer var mı?" diye sordu.

Manyoro cevap vermeden önce burnunu kaşıyarak düşündü. "Köye yakın kurumuş bir tuz yatağı var. Hem düz, hem de ağaçsız."

Leon, "Göster bana," dedi. Tekrar havalandılar ve Manyoro Leon'u tuz yatağına yönlendirdi. Kilometrelerce uzaktan seçilebilen muazzam tuz yatağı bembeyaz ışıldıyordu. Onlar yaklaşırken küçük bir antilop sürüsü yatağı geçmeye başladı ve Leon, zeminde hiçbir toynak izi kalmadığını görüp sevindi. Bu tür yerler bazen ölüm kapanı olurdu: üstteki kırılgan tabakanın altında kimileri derin ve yapışkan bataklıklar yer alırdı. *Arı*'yı ustaca alçaltıp sadece tekerlekleri yüzeye değdirdi, herhangi bir çamurlu alana denk gelirse hemen yükselmeye hazırdı. Yüzeyin sağlam olduğunu anlayınca inişe devam etti. Yatağın kenarına kadar gidip uçağı döndürdü. Ama motorları susturmamıştı. Manyoro'ya, *"Manyatta* buradan ne kadar uzakta?" diye bağırdı.

"Yakın." Manyoro karşıyı gösterdi. "Zaten köylülerden gelenler var." Küçük bir kadın ve çocuk grubu ağaçların arasından onlara doğru koşuyordu.

Leon bu sefer Loikot'a, "Peki aslanlardan ne kadar uzaktayız Yüce Avcı?" diye sordu. O da mızrağıyla havada iki kesik işaret yapıp iki güneş saati diye cevap verdi. "Güzel. Demek ki burası hem *manyatta*'ya, hem de aslanlara yakın. İkinizi de burada bırakıyorum. Dönüşümü bekleyin. Geldiğimde Kichwa Muzuru da yanımda olacak."

Leon iki Masai'yi tuz yatağında bırakıp tekrar havalandı. Nairobi'ye yönelmeden önce havada bir tur daha attı. Masai'ler el salladılar ve sonra ikisinin ayrıldığını gördü. Loikot koşarak aslanların izini bulmaya gidiyordu, Manyoro ise Massana'nın köyünden gelen kadınlara doğru gitmekteydi.

Leon, Nairobi'deki polo sahasına yaklaşırken endişeyle *Kelebek* orada mı diye baktı. Graf Otto'nun o esrarengiz işlerinden birinin peşine düşüp günlerce ortaya çıkmaması ihtimalini düşünüyordu. O arada Loikot aslanlarla teması kaybedebilirdi.

Kelebek'in kırmızı siyah gövdesini hangarın önünde görünce, "Tanrı'ya şükürler olsun!" diye bağırdı. Gustav'la yardımcıları motorlar üstünde çalışıyorlardı. Ancak av arabası görünürde yoktu ve Leon da yere inmekten vazgeçip Tandala Kampı üzerinde bir tur attı. Araç Graf Otto'nun özel bölümünün önüne park edilmişti. Leon kampın üstünde bir tur daha atınca Graf çıplak vücuduna bir gömlek geçirmeye çalışarak çadırının önünde belirdi.

Leon ani bir kıskançlık ve öfkeyle sarsıldı. Tabii ya Eva da onunla, diye düşündü. Kadın, onu elinden kaçırmak istemiyordu. Bu düşünce midesini bulandırdı. Graf Otto, ona formalite icabı bir el işareti yapıp av aracına gitti. Leon da *Arı*'yı polo sahasına yönlendirdi, ama kıskançlık ve öfke ağzında acı bir tat bırakmıştı.

İçinden topla kendini Courtney dedi! Eva von Wellberg'in kutsal bir bakire olmadığını biliyorsun. Geldiklerinden beri her gece onunla aynı cibinliğin altında yatıyor, diyerek kendine hatırlattıktan sonra inişe hazırlandı. Sınır çitinin üstünde *Arı*'yı yan yatırırken genç kadının *Kelebek*'in kanadının altındaki gölgede oturduğunu görünce kalbi yerinden fırladı. O ana kadar uçağın gövdesi yüzünden görememişti. Gülünçtü, ama yine de Graf Otto'nun özel bölümde yalnız olduğunu bilmek içini rahatlatmıştı.

Uçağı yere indirip hangara doğru taksi yaparken, Eva şövalesinin başından fırladı ve heyecanla ona doğru koşmaya başladı. Leon bu mesafeden bile genç kadının tebessümündeki heyecanı fark edebiliyordu. Daha sonra Gustav'ın baktığını fark edince kendini topladı ve daha ağır adımlarla ilerledi. Leon merdiveni indirirken geride kaldı. Leon diğer adamların başlarının üstünden baktı; Eva'nın heyecanlı ve gergin olduğunu gördü. Onu her zaman sakin ve kendine hâkim haliyle görmeye alışıktı, ama şimdi leopar kokusu almış bir ceylana benziyordu. Onun bu hali Leon'u etkilemişti ama duygularını bastırıp rahat bir tavırla selam vermeyi başardı. Kibarca, "İyi günler Fräulein," dedikten sonra Gustav'a dönerek, "İki numaralı sancak motorundan bir ses geliyor ve egzozundan mavi duman çıkıyor," dedi.

Gustav, "Hemen bakarım," dedi ve adamlarına seslendi.

O kafasını motorların arasına gömünce Leon'la Eva baş başa kalmışlardı. Leon yumuşak bir tavırla, "Sana bir şeyler olmuş, bir şeyler değişmiş," dedi. "Farklısın Eva."

"Sen de dikkatlisin. Her şey değişti."

"Ne oldu? Graf Otto'yla bir sorun mu çıktı?"

"Onunla değil. Bu seninle benim aramda."

"Sorun mu?" Leon, genç kadına bakakaldı.

"Sorun değil. Tam aksi. Bir karar verdim." Sesi alçak ve boğuktu, ama sonra gülümsedi.

Tebessümü Leon'un hayatında gördüğü en güzel şeydi. Ona doğru bir adım atıp elini uzattı. Eva hemen geri çekildi. "Hayır, bana dokunma. Aptalca bir şey yapabilirim, kendime güvenmiyorum." Sonra tozu dumana katarak yaklaşan av aracını gösterdi. "Otto geliyor. Dikkatli olmalıyız."

Leon, "Bu şekilde daha fazla devam edemem," diye uyardı.

Eva, "Ben de," diye fısıldadı. "Ama şimdilik birbirimizden uzak durmalıyız. Otto aptal değil. Aramızda bir şeyler olduğunu anlar." Dönüp Gustav'ın kanatta makine dairesini incelediği yere gitti.

Aracı polo sahasının kapısından girer girmez Graf Otto, "Demek döndün Courtney?" diye seslendi. "Yeterince gezdin. Nerelerdeydin? Cape Town'da mı? Kahire'de mi?"

Eva'yla yaptıkları kısa konuşma Leon'u coşkulu ve pervasız bir hale getirmişti. "Hayır efendim. Kahrolası aslanınızı arıyordum."

Graf Otto, Leon'un coşkusunu fark etti ve onun da yüzü aydınlandı, düello yarası beklentiyle pembeye dönüştü. Araçtan atlayıp kapıyı çarparak kapattı. "Buldun mu peki?"

"Bulmasam dönmezdim."

"Büyük mü?"

"Gördüğüm en büyük aslan, diğeri ondan da büyük."

"Anlamadım. Kaç tane aslan var?"

Leon, "İki," dedi. "İki tane devasa erkek."

"Ne zaman gidebiliriz avlamaya?"

"Gustav *Arı*'nın motorunu kontrol eder etmez."

"Ben o kadar bekleyemem. *Kelebek*'in tankları dolu. Her şeyimiz yüklendi ve kalkışa hazır. Hemen gidiyoruz! Derhal!"

Nairobi'den geldikten sonra yakıt almak üzere Percy Kampı'nın pistine inmişlerdi. Oradan havalanırken kumanda Graf Otto'daydı. Uçağı Massana'nın *manyatta*'sına doğru güneybatıya yöneltti. Eva yanında oturuyordu, İsmail kıymetli mutfak çıkınıyla yere çömelmişti, Leon, Gustav ve Hennie de kokpitin ön kısmındaydılar.

Leon bu yakıcı öğle sıcağında iskele taraflarında küçük bir duman gördüğünde yirmi dakikadır uçuyorlardı. "Loikot!" Leon daha ateşin yanında duran ince figürü görmeden o olduğunu anlamıştı. Loikot görüldüğünden emin olmak için *shuka*'sını savurdu, sonra da mızrağıyla fazla uzakta olmayan küçük bir tepenin girintili çıkıntılı hatlarını işaret etti. Avın yerini tarif ediyordu.

Leon çabucak değişen durumu değerlendirdi. Av tanrıları ona bir iyilikte bulunmaya karar vermişlerdi. Kendisi yokken aslanlar Massana'nın *manyatta*'sına doğru gitmişlerdi demek ki. Şimdi onları ilk gördükleri yerden daha yakındaydılar. Nerede olduğunu kavramak için Rift'in uzaktaki tepelerine baktı, sonra da üç gün önce iki Masai'yi bırakmış olduğu tuz yatağını seçti. Hemen hemen aslanların şimdi bulunduğu tepecikle *manyatta*'ya eşit uzaklıktaydı. Leon bundan iyisi olamazdı diye düşünüp hemen Graf Otto'nun yanına gitti. "Loikot aslanların şu tepedeki kayalıkların arasında olduğunu gösterdi."

"İnebileceğim en yakın yer neresi?"

"Şu tuz tavasını görebiliyor musunuz?" Leon eliyle gösterdi. "Oraya inerseniz hem ava, hem de *morani*'lerin av için toplandığı köye yakın oluruz."

Massana'nın *manyatta*'sı vadideki diğer köylerin çoğundan daha büyüktü. Ortadaki sığır ağılının etrafına daire şeklinde dizilmiş yüzden fazla büyük kulübe ve sığır ağılında kalabalık bir grup vardı. Leon bu *shuka*'lara bürünmüş figürlerin arasında Manyoro'yu seçemese de, belli ki işini başarıyla yapmış ve Massana'yı büyük av için *morani*'lerini toplamaya ikna etmişti. Her şeyin hazır olduğunu görünce Graf Otto'dan uçağı tuz tavasına doğru döndürmesini istedi. Adam uçağı indirdi ve batı kenarında dizili ağaçlara doğru taksi yapıp motorları kapattı.

Leon, "Bir süre burada kamp kuracağız," dedi. "Böylece *morani*'ler gelene kadar biraz dinlenebiliriz." Geçici kamp kurmak için gereken her şey *Kelebek*'e yüklenmişti. Leon'un kampı kurması uzun sürmedi. Çadırları uçağın kanatlarının altındaki gölgelere yerleştirdi. İsmail kendi mutfağını hazırlayıp, uçaktan yeterince uzakta ateşini yaktı ve çok geçmeden kahveyle zencefilli çörek servisi yaptı.

Leon kahvesini bitirdikten sonra zamanı anlamak üzere gökyüzüne baktı. Graf Otto'ya, "Loikot her an burada olabilir," dedi ve daha lafını bitirmeden Loikot koşarak ağaçların arasından çıktı.

Leon gölgeden çıkıp Loikot'u karşılamaya gitti. Raporunu duymak için can atıyordu, ama genç adamın aceleye getirilemeyeceğini de biliyordu. Ne kadar sıkıştırırsa o kadar az konuşurdu. Loikot önce tek bacak üstünde durup mızrağına yaslanarak biraz enfiye çekti. Sonra birbirlerini üç gündür görmedikleri, bunun uzun bir süre olduğu, yılın bu mevsimine göre havanın fazla sıcak olduğu, muhtemelen güneş batmadan yağmur yağacağı ve bunun da otlar için iyi olduğunda fikir birliğine vardılar.

"Eee... Loikot, yüce avcı ve gözü pek iz sürücü, aslanlarına ne oldu? Hâlâ gözün üstlerinde mi?"

Loikot acıklı bir şekilde başını salladı.

Leon öfkeyle, "Kayıp mı ettin?" diye sordu. "Kaçmalarına göz mü yumdun?"

"Hayır! Küçük aslanın kaybolduğu doğru ama büyük olan hâlâ elimde. Daha iki saat önce gördüm. Yalnız, sana gösterdiğim o tepeciğin üstünde yatıyor hâlâ."

Leon, "Diğerinin kaybolmasına üzülmemeliyiz," diyerek Loikot'u avuttu. "Tek başına bir aslanla başa çıkmak daha kolay. İkisi bir arada fazla gelebilirdi."

Loikot, "Manyoro nerede?" diye sordu.

"Seni gördükten sonra Massana'nın *manyatta*'sının üstünden uçtuk. *Morani* avcıları toplanmıştı, herhalde yola çıkmışlardır buraya doğru. *Manyatta* fazla uzak değil. Yakında gelmiş olurlar."

Loikot, "Ben gidip aslanıma göz kulak olayım," dedi. "Hava kararınca uzaklaşabilir. Yarın sabah erkenden dönerim."

Tuz tavasındaki kamp yerlerine doğru şarkı söyleyerek gelenleri gördüklerinde daha güneşin batmasına iki saat vardı. En başta Manyoro yürüyordu; peşinden de av aksesuvarlarına bürünmüş, kalkanları ve *assegai*'leri ellerinde uzun bir *morani* kafilesi vardı.

Onları da yüzlerce erkek, kadın ve çocuk takip etmekteydi. Elli kilometrelik bölgedeki bütün köylerden toplanıp gelmişlerdi. Seçkin *morani* grubunun ardında kuş gibi cıvıldaşan bakire kızlar vardı. Güneş battığında bu insanlık cümbüşü *Kelebek*'in çevresinde kamp kurmuştu ve havada ateşte pişen yemeklerin kokusu vardı. Heyecanlı naralar, şarkılar, şen kahkahalar gece boyunca devam etti.

Ertesi sabah şafak sökmeden Loikot keşif gezisinden döndü. Aslanın ay ışığında genç bir kudu dişisi avladığını ve hâlâ avını yemekle meşgul olduğunu bildirdi. Kendinden emin bir şekilde, "Bitirmeden bir yere gitmez," dedi.

Avcılar hevesle güneşin doğmasını beklediler. Ateşin başında oturup tüylerini düzelttiler, saçlarını süslediler, *assegai*'lerini bilediler ve kalkanlarını sağlamlaştırdılar. Güneşin ilk ışıkları yamacın üstünde belirince av lideri borusunu öttürerek işaret verdi. Savaşçılar ayağa fırlayıp beyaz tuz yatağında yerlerini aldılar. Önce ağır ağır, sonra heyecanla dans edip şarkı söylediler.

Genç kızlar etraflarında bir halka oluşturmuştu. Onlar da ayaklarıyla tempo tutup kalçalarını kıvırarak zılgıt çekmeye, el çırpıp başlarını öne arkaya sallamaya başladılar. Göğüslerini ve yuvarlak kalçalarını da erkeklere doğru sallıyorlardı. *Morani*'ler dans ederken terlemeye başlamıştı. Gözlerinde coşkulu kıvılcımlar vardı.

Aniden Graf Otto çadırından çıktı ve tuz tavasında yürümeye başladı. Onu görünce *morani* saflarından bir kükreme yükseldi. O da kırmızı kabile *shuka*'sına bürünmüştü. Pelerin belinde kuşakla toplanmış ve ucu da bir omzuna atılmıştı. Gövdesinin üst kısmıyla kol ve bacakları çıplaktı; akbalıkçıl kanadı kadar beyazdı. Göğsünde ve kollarının alt kısımlarındaki tüyler bakır kızılıydı. Omuzları ve göğsü geniş, kollarıyla bacakları kaslı ve sertti, ama yaşı ve rahat yaşamı yüzünden karnı yumuşayıp sarkmaya başlamıştı.

Genç kızlar şen kahkahalar atıp, heyecanla birbirlerine sokuldular. Bir *mzungu*'nun kabile giysilerine bürüneceği hiç akıllarına gelmemişti. Kıkırdayarak yanına gidip etrafını sardılar. Süt gibi tenine dokunuyor, merakla kızıl tüylerini elliyorlardı. Sonra Graf Otto dans etmeye başladı. Kızlar geri çekildiler, artık gülmüyorlardı. Onun için tempo tuttular ve tiz, heyecanlı naralar atarak coşturmaya başladılar.

Graf Otto iri bir erkek için olağanüstü bir zarafetle dans ediyordu. Zıplıyor, dönüyor, yere vuruyor ve sağ elindeki *assegai* ile havaya darbeler indiriyordu. Sol omzuna asılı ham deriden yapılma kalkanıyla abartılı jestler yapıyordu. Kızların en güzel ve en cüretkâr olanları sırayla karşısına geçip Graf Otto'yla yüz yüze dans ediyordu. Turnalarınki gibi uzun boyunlarını kaldırıp kolyelerini sallıyorlardı. Yağ ve aşıboyasıyla parlayan çıplak göğüsleri de onlarla birlikte zıplıyordu. Hava, tepinen çıplak ayakların kaldırdığı tozla, kızların tatlı ter kokusuyla, kan hırsı ve şehvet duygularıyla dolmuştu.

Leon *Kelebek*'e yaslanmış, bütün dikkatiyle bu ilkel coşkuyu seyredermiş gibiydi. Oysa Eva neredeyse bir kol mesafesinde, *Kelebek*'in kanadında oturuyor, aşağı sarkıttığı bacaklarını sallıyordu. Leon bu açıdan belli etmeden genç kadının yüzünü izleyebiliyordu. Eva bu gösteriye hafifçe eğlenerek bakmak dışında hiçbir tepki vermiyordu. Leon bir kere daha onun gerçek duygularını böyle tamamen gizleyebilme yeteneğine hayran oldu.

Graf Otto, onun erkeğiydi ve görünürde o da onun kadınıydı, ama yine de adam gelinlik çağda, gözü dönmüş yarı çıplak bir sürü genç kızla açıktan açığa cinsel bir ayin yapmaktan çekinmiyordu. Eva bu saygısızca davranıştan dolayı hakarete uğradığını düşünüyor olsa da bunu göstermiyordu, ama Leon, onun adına sinirleniyordu.

Sanki onu seyrettiğini anlamış gibi, tünediği yerden başını çevirip Leon'a baktı. Yüz ifadesi sakin, bakışları gizemliydi, hiçbir şeyi ele vermiyordu. Sonra, bakışları kilitlenince, Eva ruhunun gizli, iyi korunan bölgelerine girmesine izin verdi. Menekşe gözlerden yansıyan bu apaçık sevgi gösterisi Leon'un soluğunu kesmişti. Yaşadıkları büyük değişimi bir anda kavrayıverdi. Daha önce ne olmuş olursa olsun, artık birbirlerine bağlanmışlardı. Hiçbir şey ve hiç kimse araya giremezdi. Birbirlerinin gözlerine bakarak sessiz ama geri dönülmez yeminler ettiler.

O an, bir boru sesi ve *morani*'lerden yükselen naralarla kesildi. Avcılar dizildiler. Loikot, grubu avın bulunduğu yere doğru götürmek üzere öne geçti. *Morani*'ler aslan şarkısını söylemeyi sürdürerek, ortalarında bembeyaz vücuduyla parlayan Graf Otto'yla birlikte yola koyuldular. Seyirciler de peşlerinden gitti. Gustav ve Hennie de kalabalık tarafından yutulmuş ve sürüklenip götürülmüştü.

Leon'la Eva yalnız kalmışlardı. Eva kollarını kaldırıp Leon'a doğru uzandı. Leon da ona doğru uzanıp ellerini incecik beline koydu ve ayağa kaldırırken bir an için göğsüne bastırdı. Parfümünü içine çekti ve karnının sıcaklığını kendi karnında hissetti. Eva, onun gözlerini okumuş ve giysisinin altından kasıklarındaki sertleşmeyi hissetmişti. "Biliyorum Porsuk. Nasıl hissettiğini gayet iyi biliyorum. Ben de öyle hissediyorum. Fakat biraz daha sabretmek zorundayız. Yakında! Söz veriyorum, çok yakında."

"Ah, Tanrım!" Leon inledi. "Ben... Otto. Aslan. Keşke..."

Eva'nın gözlerinde gerçek bir korku parladı. "Hayır, sakın söyleme!" Bir parmağını Leon'un dudaklarına koydu. "Bunu dileme bile. Uğursuzluk getirir bize." Elini Leon'un yüzünden çekti ve Leon, Manyoro'nun sessizce gelip omuz başında dikildiğini gördü. Bir elinde Holland'ını diğer elinde ise fişekliğini tutuyordu.

Leon elinden alırken, "Teşekkürler kardeşim," dedi.

Eva, "Graf Otto bu avda silah kullanılmayacağını söylemişti," diye hatırlattı.

Leon öfkeyle, "Aslanı yaralar da hayvan onca insanın arasına dalarsa neler olacağını düşünebiliyor musun?" diye sordu. "Kendini parçalatmak istiyorsa onun bileceği iş, ama onca kadınla çocuğu da pazarlığa katarsa durum değişir." Tüfeği açıp iki dolu şarjörü yerleştirirken, "O etek ve çizmelerle koşabilir misin?" diye sordu.

"Evet."

"O zaman koşsak iyi olacak." Eva'yı kolundan yakaladı ve seyircilerin önünden hızla uzaklaşan *morani*'lere yetişmek için koşmaya başladılar.

Leon, Eva'nın gösterdiği uyuma şaşırmıştı. Genç kadın uzun gabardin eteğini diz boyu çizmelerinin üzerine toplamış ve yeni doğmuş bir dişi geyik gibi zarafetle koşmaya başlamıştı. Leon daha engebeli yerlerden geçerken kolundan tuttu ve derin bir boğazı aşmasına yardım etti. Geride kalmış olanları geçip avcılara yetiştiler, av lideri borusunu öttürdüğünde öndeki savaşçılarla aralarında çok az mesafe kalmıştı. *Morani*'ler sessiz ve düzgün bir şekilde ikiye ayrılma aşamasını gerçekleştirdiler.

"Aslana yetiştiler." Leon yorgunluktan soluk soluğa kalmıştı.

Eva da nefes nefese, "Nereden biliyorsun? Görebildin mi onu?" diye sordu.

"Buradan göremem, ama onlar görebilir. Gittikleri yöne bakılırsa, tepeciğin dibindeki sık bitki örtüsünün içinde yatıyor." Karşıdaki kayaları ve gümüş yapraklı çalıları gösterdi.

"Otto nerede?" Eva soluklarını düzene sokup dinlenmek için bir anlığına Leon'a yaslanmıştı. Terden alnı nemlenmiş, parlıyordu ve Leon, onun sıcak, kadınsı kokusuyla kendinden geçti.

"Tam çalıların dibinde. Başka nerede olacağını sanıyordun ki?" Leon eliyle gösterince Eva da sıkılı bir yumruk gibi tepeciğe yaklaşan siyah savaşçıların en önündeki beyaz figürü fark etti.

"Peki aslanı görmedin mi daha?"

"Hayır. Biraz daha yaklaşmamız gerek." Eva'yı kolundan tuttu ve yine koşmaya başladılar. Leon aniden durduğunda *morani*'lerin ilk safı ile aralarında en fazla yüz elli adım kalmıştı. "Ah, yüce Tanrım! İşte orada! Aslan orada." Eliyle gösterdi.

"Hani? Ben göremiyorum."

"İşte, yüksekte." Bir koluyla omzuna sarılıp yüzünü o tarafa çevirdi. "En yüksek kayanın üzerinde duran o koca kara şey. Bu o. Dinle bak! *Morani'* ler kışkırtıyor hayvanı."

"Göremiyorum..." Ama o anda aslan yerinden kalkıp yelesini kabarttı ve Eva nefesini tuttu. "Görüyorum şimdi. Hiç bu kadar büyük olduğunu düşünmemiştim. Ben, onu dev bir kaya sanmıştım."

Aslan koca kafasını iki yana sallayarak etrafını kuşatan düşmanı kolluyordu. Hırlayıp dişlerini gösterdi. Bu mesafeden bile Leon'la Eva dişlerinin parıltısını rahatça görebiliyor, müthiş hırıltılarını duyabiliyorlardı. Sonra, safların ortasında Otto von Meerbach'ın ay gibi parlayan beyaz tenini fark edince, başını eğip kulaklarını kafasına yapıştırdı. Avından mahrum bırakılmış ve kızmıştı. Yabancı bir vücuttan daha kışkırtıcı bir şeye ihtiyacı yoktu. Bir daha hırladıktan sonra bulunduğu yerden doğruca Graf Otto'nun üstüne atıldı.

Morani saflarından tahrik edici bir çığlık yükseldi ve hayvanı daha da kızdırmak için kalkanlarına vurdular. Aşağı inen aslan çevikliği ve gücü yüzünden iyice yere yapışmış, devasa patilerinin altındaki toprağı tozutup, her adımda hırlayarak yılan gibi sürünmeye başlamıştı.

Graf Otto bir an bile duraksamadan kalkanını kaldırıp dev gibi aslana doğru yaklaşmaya başladı. Leon ve Eva'da onu takip ettiler ve bir tür çaresizlik duygusuyla olanları izlemeye koyuldular. Eva, Leon'un elini tutuyordu ve tırnaklarını kanatacak kadar derine bastırmıştı. "Aslan, onu öldürecek!" diye fısıldadı, ama Graf Otto son anda usta bir atletin zamanlama ve koordinasyon becerisiyle hareket etmeyi başardı. Bir dizinin üstüne çöküp kalkanını kendine siper etti. O sırada *assegai'* sini de sağ eline alıp ucunu aslana doğru tuttu. Hayvan bütün gücüyle saldırınca mızrak göğsüne saplandı, o kadar derine girmişti ki, Graf Otto'nun sağ eli de siyah yelenin içinde kaybolmuştu. Mızrağın ucu kalbini parçalayınca hayvan kükreyecekmiş gibi ağzını açtı ve fışkıran kan Otto von Meerbach'ın başına ve omuzlarına aktı. Aslan kalbine saplı mızrakla geri çekildi, yalpalayarak bir daire çizdi ve dört bacağıyla havayı döverek otların üstüne devrildi. Mükemmel bir öldürüştü.

Graf Otto kalkanı kenara atarak ayağa fırladı, zaferle çığlıklar atıyor, dönerek dans ediyordu, kanlı yüzü çarpılmıştı. Bir düzine *morani assegai'* lerini saplamak için leşin başına koştu. Graf, onları durdurup kükreyerek avına sahip çıktı. Kendi mızrağını aslanın göğsünden çıkardı ve yaklaşan *morani'* lere doğru salladı. Suratlarına haykırıyor, vahşi savaşçılar gibi yumruklarıyla göğsünü dövüyor, mızrağıyla adamları tehdit ediyordu. Onlar da mızraklarını kalkanlarına vurarak aynı şekilde Graf Otto'ya bağırıyorlardı. Zaferden paylarını almak istiyorlardı, mızraklarını onlar da aslanın kanına bulayacaklardı. Graf Otto bir tanesinin üstüne atıldı ve *morani* atağı kalkanıyla güçlükle savuşturdu. Graf Otto öfkeyle haykırarak mızrağını adama fırlattı. Savaşçı kalkanını kaldırdı, ama mızrak kalkanı delip, bileğindeki damarları parçalandı. Arkadaşları öfkeyle kükrediler.

Eva, "Yüce Tanrım! Delirdi," dedi. "Biri ölecek ya o ya da Masai. Onu durdurmalıyım." Öne atıldı.

"Hayır Eva. Hepsinin gözü dönmüş. Onları durduramazsın. Sadece kendine zarar verirsin." Eva'yı kolundan yakalamıştı.

Genç kadın kolunu kurtarmaya çalıştı. "Daha önce onu sakinleştirmeyi başarmıştım. Beni dinler..." Leon'dan kurtulmak için debelendi, ama Leon sol koluyla ona sarılmış ve sağ elindeki tüfeği kaldırmıştı. Bütün gücüyle tuttuğu için, ne kadar çırpınırsa çırpınsın Eva'nın kaçması mümkün değildi.

"Artık çok geç Eva," diye kulağına fısıldadı. Ağır tüfeğini tabanca gibi tutuyordu, namlu Graf Otto ile yaralı savaşçının başlarının üstüne çevriliydi. "Şuraya bak, tepeciğin üstüne."

Eva gösterdiği yere bakınca kaybolan diğer aslanı, ölenin ikizini gördü. Tepede heyula gibi dikilmişti, Graf Otto'nun öldürdüğünden bile daha büyüktü ve öfkeden yelesi iyice kabardığı için olduğunun iki katı büyüklükte görünüyordu. Sağrısının üstüne oturdu, çenesini sonuna kadar açtı ve yeri göğü sarsacak şekilde kükrerken yere yaklaştırdı. Orada bulunan seyirciler, Graf Otto ve öfkeli savaşçılar aniden susmuştu. Bütün başlar aslanın durduğu yere dönmüştü.

İki aslan, üç gün önce, daha yaşlı olanın şafaktan önceki taze rüzgârın kokusuna kapılmasıyla ayrılmıştı. Bu, aynı zamanda olgun bir dişinin kokusuydu. Aslan, küçük kardeşini bırakıp rüzgârla gelen bu davete koşmuştu.

Dişiyi güneş battıktan bir saat sonra bulmuştu, ama kendisinden daha genç, daha güçlü ve daha kararlı bir erkekle çiftleşiyordu. İki erkek kükreyerek, birbirlerine dişleriyle, pençeleriyle darbeler indirip, dövüştüler. Yaşlı aslanın kaburgasında derin bir yara açıldı, omzunda da kemiğini parçalayan bir ısırık. Sonra da acı ve utanç içinde ikiziyle buluşmaya gelmişti. İki aslan ay yükseldikten kısa bir süre sonra buluşmuşlar ve yaralı olan, ikizinin öldürdüğü kududan payını almıştı. Sonra da yaralarını yalayıp dinlenmek üzere tepenin üstündeki çıkıntıya uzanmıştı.

Morani'lerin kışkırtmalarına karşılık veremeyecek kadar bitkin ve yaralıydı, ama öfkeli kükremelerle ikizinin başında atılan ölüm naraları saklandığı yerden çıkmasına yol açmıştı. Şimdi yukarıdan kardeşinin leşinin yattığı yere bakıyordu. Onda insanlara has matem duyguları yoktu, ama öfkeyi, bütün dünyaya karşı duyulan o müthiş öfkeyi gayet iyi biliyordu. Özellikle de karşısındaki bu zayıf yaratıklara karşı öfkeliydi. En yakınında Graf Otto vardı ve onun o soluk teni aslanın öfkesinin odak noktası haline gelmişti. Yay gibi atılıp aşağı fırladı.

Çil yavrusu gibi dağılan kadınlardan bir dehşet çığlığı yükseldi. *Morani*'ler tamamen hazırlıksız yakalanmışlardı: bir dakika önce Graf Otto'yla kavga ediyorlardı ama şimdi sanki adam sihir yapmış gibi bu aslan ortaya çıkmıştı.

Onlar bu yeni düşmana karşı harekete geçene kadar hayvan Graf Otto ile arasındaki mesafeyi kısaltmıştı. Leon, Eva'yı arkasına doğru savurup, "Burada kal. Sakın yaklaşma!" diye bağırdı. Sonra müşterisini korumak için ileri atıldı. Ama o da *morani*'ler de geç kalmışlardı.

Graf Otto son anda kendini korumak için boşuna bir çabayla kollarını kaldırdı, ama aslan bütün gücü ve ağırlığıyla üstüne çarptı. Graf Otto üstündeki aslanla birlikte sırtüstü yuvarlandı. Hayvan ön bacaklarıyla Graf Otto'yu yere bastırdı ve pençelerini kasap kancası gibi etine geçirdi. Aynı anda arka bacakları da etine gömülmüş, pençeleri karnını yarmıştı. Şimdi adamın üstünde çömelmiş yüzüne ve gırtlağına dalmaya çalışıyordu. Graf Otto kendini korumak için kolunu kaldırdı. Aslan kolu ısırdı ve Leon koşarken kemiğin parçalanışını duydu. Aslan bir daha ısırdı, bu sefer dişlerini adamın sağ omzuna geçirmişti. Yün yumağıyla oynayan kedi yavrusu gibi arka bacaklarıyla da Graf Otto'nun uyluklarını ve karnını deşiyordu.

Leon tüfeğin emniyetini açıp, namluları aslanın kulağına dayadı. Aynı anda iki tetiğe birden asıldı. Mermiler kafatasını parçalayıp beyin parçalarıyla birlikte diğer kulaktan çıktı. Aslan, Graf Otto'nun üstünden yana doğru devrildi.

Leon kulaklarında tüfeğin sesi çınlarken adamın başında durdu ve aslanın birkaç saniyede yarattığı hasara inanamadı. Graf Otto'ya dokunamıyordu: tepeden tırnağa kan içindeydi; kolundaki ve omzundaki korkunç yaralardan hâlâ kan fışkırıyordu. Ayrıca uyluğundaki derin yaralar ve karnındaki yarık da kanıyordu.

"Hayatta mı?" Eva sözünü dinlemeyip gelmişti. "Yaşıyor mu, yoksa öldü mü?"

Leon ümitsiz bir şekilde, "Galiba ikisi de," dedi, ama genç kadının sesini duymak yeniden hareket edebilir hale gelmesini sağlamıştı. Tüfeğini yanına gelen Manyoro'ya verip müşterisinin yanında diz çöktü, elindeki mızrağı aldı ve kanlı *shuka*'sını parçalamaya başladı.

Eva'ya, "Tanrım, onu paramparça etmiş. Bana yardım et. İlk yardımdan anlar mısın?" diye sordu.

Gelip yanına diz çöken Eva, "Evet," dedi. "Bu konuda biraz eğitim almıştım." Sesi sakin ve güven vericiydi. "Önce kanamayı durdurmamız gerek."

Leon, Graf Otto'nun *shuka*'sından kalanları şeritler halinde yırtmaya başladı. Onlarla adamın parçalanmış koluna ve deşilmiş uyluğuna turnike yaptılar. Sonra da aslanın dişleriyle açtığı diğer derin yaralara tampon.

Leon, Eva'nın hızlı bir şekilde hareket eden becerikli ellerine baktı. Dirseklerine kadar kan içinde kaldığı halde iğrenme belirtisi göstermiyordu. "Ne yaptığını biliyorsun. Nerede öğrendin bunları?"

Eva, "Ben de aynı soruyu sana soruyorum," dedi.

"Orduda öğrettiler."

"Bana da."

Leon hayretle suratına bakakaldı. "Alman Ordusu'nda mı?"

"Bir gün sana hayat hikâyemi anlatabilirim, ama şu an işimize yoğunlaşmalıyız." Kanlı ellerini eteğine silip yaptıkları işe baktı. "Yaralar iyileşebilir, bünyesi çok kuvvetlidir, ama enfeksiyon ve kangren yüzünden ölebilir."

"Haklısın. Aslan pençeleri ve dişleri zehirli oktan beterdir. Çürümüş etle kurumuş kanla temas ettikleri için mikrop yuvasıdır. Doktor Joseph Lister'in küçük dostları. Onu hemen Nairobi'ye götürmemiz gerek, Doktor Thompson hemen sıcak tentürdiyot banyosu yaptırabilir."

"Karnındaki yırtıkları halletmeden yerinden kıpırdatamayız. Şimdi kaldırırsak bağırsakları dökülür. Onu dikebilir misin?"

Leon, "Nereden başlayacağımı bilmiyorum," dedi. "Bu cerrah işi. Sadece sarabiliriz ve bir şey olmasın diye dua ederiz." Graf Otto'nun karnını da *shuka* parçalarıyla sardılar. Leon, sürekli Eva'yı izliyor, bir tepki vermesini bekliyordu. Üzülmüş gibi değildi. Bu adama karşı bir şey hissetmiyor muydu? Profesyonel bir tavırla çalışıyor ve gözlerini de hep kaçırıyordu. Leon bir türlü emin olamıyordu.

Sonunda Graf Otto'yu bir kalkanın üstüne uzatmayı başardılar. *Morani*'lerden altı tanesi kalkanı sırtlayıp *Kelebek*'in bulunduğu yere taşıdı. Manyoro'nun kontrolünde eğreti sedyeyi kokpite yerleştirdiler ve Leon sıkıca yere bağladı. Sonra başını kaldırıp Eva'ya baktı. Solmuş ve perişan bir vaziyette karşısında çömelmişti, etekleri toprak ve kan içindeydi.

"Dayanabileceğini sanmıyorum Eva. Çok fazla kan kaybetti. Ama Nairobi'ye vaktinde yetiştirebilirsek, belki Doktor Thompson da mucizelerinden birini gerçekleştirebilir."

Eva yumuşak bir sesle, "Ben seninle gelmiyorum," dedi.

Leon şaşkınlık içinde ona baktı. Onu şaşırtan sadece sözler değil, aynı zamanda konuştuğu dildi. "İngilizce konuştun. Hem de Newcatsle aksanıyla." Duyduğu lirik ahenk kulağına çok hoş gelmişti.

"Evet." Eva kederle gülümsedi. "Ben Northumber'landlıyım."

"Anlamıyorum."

Eva gözüne düşen saçı kaldırıp başını salladı. "Hayır Porsuk, anlayamazsın. Ah! Benim hakkında bilmediğin öyle çok şey var ki ve... henüz anlatamayacağım."

"Tek bir şey söyle. Otto von Meerbach için gerçekte ne hissediyorsun Eva? Ona âşık mısın?"

Genç kadının gözleri irileşti, sonra dehşetle koyulaştı. "Aşk mı?" Kısa, acı bir kahkaha attı. "Hayır ona âşık değilim. Bütün kalbimle nefret ediyorum ondan."

"O zaman niye yanındasın? Niye ona öyle davranıyorsun?"

"Sen de bir askersin Porsuk, tıpkı benim gibi. Görev ve yurtseverlik ne demektir bilirsin." Uzun, derin bir soluk aldı. Ama bu kadar yeter. Daha fazla konuşamam. Seninle Nairobi'ye gelmiyorum. Bunu yaparsam bir daha hiç kaçamam."

"Kimden kaçmaya çalışıyorsun?"

"Ruhuma sahip olan kişiden."

"Nereye gideceksin?"

"Bilmiyorum. Beni bulamayacakları gizli bir yere." Uzanıp Leon'un elini tuttu. "Sana güveniyorum Leon. Saklanabileceğim bir yer bulmanı umuyorum. Birlikte kaçabileceğimiz bir yer."

"Ya o ne olacak?" Aralarında kanlar içinde yatan adamı gösterdi. "Onu ölüme terk edemeyiz ve kendi haline bırakırsak fazla dayanamaz."

Eva, "Evet," diye onayladı. "Ona karşı hissettiklerime rağmen, bunu yapamayız. Bana saklanacak bir yer bul. Beni oraya bırak. Sonra da elinden geldiğince çabuk bana dön. Özgürlüğümü elde etmek için bu tek şansım."

"Özgürlük mü? Şimdi özgür değil misin?"

"Hayır. Koşulların esiriyim. Herhalde kendi isteğimle bu hale geldiğimi sanmıyorsun, değil mi?"

"Hangi hale? Ne oldun ki sen?"

"Bir fahişe, bir sahtekâr, bir yalancı. Bir canavarın eline düştüm. Bir zamanlar senin gibiydim, iyi, dürüst ve masum. Yine öyle olmak istiyorum. Senin gibi olmak istiyorum. Beni kabul edecek misin? Bunca pisliğe batmışken kabul edecek misin, beni?"

"Ah! Eva bunu ne kadar çok istediğimi bilemezsin. Seni ilk karşılaştığım andan beri seviyorum."

"O zaman artık başka soru yok. Yalvarırım. Beni bu doğanın içinde gizle. Otto'yu Nairobi'ye götür. Orada beni soran olursa ve o kişi her kim olursa olsun, nerede olduğumu söyleme. Sadece ortadan kaybolduğumu söyle. Otto'yu hastaneye bırak. Kurtulursa Almanya'ya geri yollarlar. Fakat ilk fırsatta bana geri dönmen gerekiyor. O zaman sana her şeyi açıklayacağım. Bunu yapacak mısın? Tanrı biliyor ki, yapman için bir sebep yok, ama bana güvenecek misin?"

Leon yumuşak bir sesle, "Yapacağımı biliyorsun," dedikten sonra, "Manyoro! Loikot!" diye bağırdı. İkisi de yakında bekliyordu. Leon'un verdiği talimatlar kısa ve açıktı. Bir dakikasını bile almamıştı. Tekrar Eva'ya döndü. "Onlarla git," dedi. "Ne derlerse yap. İkisine de güvenebilirsin."

"Biliyorum. Ama nereye götürecekler beni?"

"Lonsonyo Dağı'na. Lusima'ya." Menekşe rengi gözlerdeki tüm endişenin kayboluşunu izledi.

"Bizim dağımıza mı? Ah Leon, daha ilk andan Lonsonyo'nun bizim için özel bir anlamı olduğunu biliyordum."

Onlar konuşurken Manyoro, Eva'nın kişisel eşyalarını taşıdığı dokuma çantayı bulmuştu. Uçağın bagajından sürükleyerek çıkardı ve aşağıda bekleyen Loikot'a uzattıktan sonra kendisi de aşağı atladı. Bir an Leon ve Eva baş başa kaldılar. Tek söz edemeden bir süre bakıştılar. Leon dokunmak için uzanınca Eva hemen kendini onun kollarına attı. Tek vücut olmak istercesine sımsıkı sarıldılar. Eva, "Öp beni sevgilim. Çok bekledim bu anı. Öp beni," derken dudaklarının kıpırtısı Leon'un yanağını gıdıklıyordu.

Dudakları birleşti, önce ışığa giden kelebekler gibi hafifçe temas ettiler, sonra o kadar güçlü ve derin bir şekilde öpüşmeye başladılar ki Leon, Eva'nın tadını, dilinin ve minik pembe ağzının gizemlerini keşfedebildi. O bir anlık ilk öpücük sonsuzluk gibiydi. Sonra büyük bir çabayla ayrılıp huşu içinde birbirlerine baktılar.

Leon yumuşak bir sesle, "Seni sevdiğimi biliyordum, ama bu kadar çok sevdiğimi şu ana kadar anlamamıştım," dedi.

Eva, "Biliyorum, çünkü ben de öyle hissediyorum," diye cevap verdi. "Şu ana kadar birini bu kadar çok sevip tamamen güvenebileceğimi hiç düşünmemiştim."

Leon, "Artık gitmen gerek," dedi. "Bir dakika daha kalırsan seni bırakamayabilirim."

Eva güçlükle gözünü ondan ayırıp tuz tavasından onlara doğru koşmakta olan *morani*'lere ve köylülere baktı. Bazıları sırıklara geçirilmiş aslanları omuzlamıştı.

Eva, "Gustav ve Hennie de geliyor," dedi. "Beni görmemeleri ve nereye gittiğimi bilmemeleri gerek." Leon'u bir daha öpüp geri çekildi. "Bana dönmeni bekleyeceğim ve ayrı geçecek her saniye sonsuzluk kadar uzun ve ıstıraplı geçecek." Sonra eteklerini savurarak uçaktan indi. İki yanına

Manyoro ve Loikot'la ağaçlara doğru koştu, aradaki uçak yüzünden Gustav'la Hennie'nin onları görmesine imkân yoktu. Ağaçların kıyısına gelince Eva dönüp arkasına baktı. El salladıktan sonra da ormana dalıp gözden kayboldu. Leon, onun gidişiyle duyduğu yalnızlık hissine çok şaşırmıştı. Zorla kendini toparlayıp kokpite çıkmakta olan Gustav'a döndü.

Gustav, hemen Graf Otto'nun başına diz çöktü. "Ah Tanrım, ah güzel Tanrım!" diye ağlıyordu. "Ölmüş!" Güneşten yıpranmış yanaklarından yaşlar süzülüyordu. "Tanrım, lütfen kurtar onu! Benim için babamdan da ileriydi." Belli ki Gustav, Eva von Wellberg'in yokluğunun farkında bile değildi.

Leon katı bir tavırla, "Henüz ölmedi," dedi. "Ama bir an önce motorların başına geçmezsen doktora yetiştiremediğim için ölecek." Gustav'la Hennie hemen koşturdular ve birkaç dakika içinde dört motor birden havaya mavi dumanlar salarak çalışmaya başladı. Leon *Kelebek*'in burnunu rüzgâra verdi ve motorların yeterince ısınmasını bekledi, sonra da Gustav'la Hennie'ye, "Onu sıkı tutun, kıpırdatmayın!" diye bağırdı.

İki adam eğreti sedyenin başına çömelip Graf Otto'yu sıkı sıkı tuttular. Leon kolları sonuna kadar itti. Uçak kükreyerek ileri atıldı. Ağaçların üstünden yükselirken Leon yandan başını uzatıp Eva'ya baktı. Ve birden gördü. İki Masai'yle epey yol almışlardı ve tuz tavasından yarım kilometre kadar uzaklaşmışlardı. Eva diğerlerinin biraz arkasından koşuyordu. Durup başını kaldırdı ve şapkasını salladı. Saçları omuzlarına dökülmüştü ve kahkahalarla gülüyordu. Leon, onun kahkahalarının kendi gösterdiği cesaret yüzünden olduğunu biliyordu. Genç kadının cesaret ve metaneti de onun yüreğini eziyordu, ama Gustav'ın dikkatini çeker, diye dönüp el sallamak istemedi. *Kelebek* kükreyerek Rift Vadisi boyunca tırmanmaya devam etti.

Leon, *Kelebek*'i Nairobi'deki polo sahasına indirdiğinde akşamüzeri olmuştu ve güneş batıyordu. Kimseye geleceklerini haber vermedikleri için etraf bomboştu. Uçağı, av aracının bulunduğu hangara çekip motorları kapattı ve sedyeyi elden ele geçirerek Graf Otto'yu yere indirdiler.

Leon çabucak muayene etti. Nefes almıyor gibiydi; dokunduğunda teninin nemli ve soğuk olduğunu fark etti. Hiçbir yaşam belirtisi göstermiyordu. Leon, adamın ölümüyle ilgili dileği bu kadar çabuk gerçekleştiği için suçluluk duydu. Ama sonra kulağının altına dokundu, hafif ve düzensiz bir hareket hissetti. Eğilip kulağını ağzına yaklaştırınca da belli belirsiz nefes alıp verdiğini anladı.

Acı bir şekilde onun yerinde başka biri olsa çoktan ölürdü, ama bu herif filin sırt derisi kadar dayanıklı, diye düşündü. Gustav'a, "Av aracını getir," dedi. Sedyeyi arka koltuğa uzattılar, o çukurlardan tümseklerden kaçınmaya çalışarak aracı sürerken, Gustav'la Hennie de sedyeyi tuttular.

Hastane, yeni Anglikan kilisesinin karşısında, kerpiçten yapılmış, saz damlı küçük bir binaydı. Bir klinik, yetersiz bir ameliyathane ve iki küçük, boş koğuş vardı. Binada kimse olmadığı için Leon arka taraftaki kulübeye koşturdu.

Doktor Thompson'la karısını akşam yemeklerini yerken buldu ama yemeği masada bırakıp, Leon'la hastaneye koştular. Bayan Thompson bütün kolonideki tek eğitimli hemşire olduğu için hemen işe koyuldu. Onun denetiminde Gustav'la Hennie, Graf Otto'yu kliniğe taşıdılar ve muayene masasına yatırdılar. Doktor eğreti sargıları keserken, onlar da sürükleyerek getirdikleri galvanize demir küvete sıcak su doldurdular. Bayan Thompson da küvete bir şişe konsantre potasyumlu tentürdiyot boşaltmıştı. Daha sonra Graf Otto'nun harap bedenini masadan alıp sıcak küvetin içine bıraktılar.

Duyduğu acı o kadar şiddetliydi ki, adam derin koma halinden uyandı ve haykırıp çırpınarak antiseptikli sıcak sudan çıkmaya çalıştı. Antiseptikli sıvı derin, kötü durumdaki yaralarına iyice işlesin diye hiç acımadan suya bastırdılar. Leon, bu adama karşı hissettiklerine rağmen çektiği ıstırabı izlemeyi dehşet verici bulmuştu. Klinikten sessizce uzaklaşıp dışarıdaki temiz akşam havasına çıktı.

Polo sahasına ulaştığında güneş batmıştı. Meerbach teknisyenlerinden Paulus ve Ludwig oraya ondan önce gelmişlerdi: *Kelebek*'in erken inişini duymuş ve neler olduğuna bakmaya karar vermişlerdi. Leon, Graf'ın başına gelenleri kısaca anlattıktan sonra, "Geri dönmem gerek," dedi. "Fräulein von Wellberg'e ne olduğunu bilmiyorum. Orada tek başına kaldı. Tehlikede olabilir. *Kelebek*'in yakıt tankları neredeyse bomboş. *Arı* ne durumda?"

Ludwig, "Siz getirdikten sonra doldurmuştuk," dedi.

"Yardım edin de motorları çalıştıralım." Leon uçağa bindi ve teknisyenler de peşinden koştular.

Ludwig, "Karanlıkta uçamazsınız!" diye itiraz etti.

"Dolunaya iki gün kaldı, bir saat sonra ay doğacak, o zaman gündüz gibi olur zaten."

"Ya hava bulutlu olursa?"

Leon, "Yılın bu vaktinde olmaz," dedi. "Şimdi, tartışmayı kesin. Motorları çalıştırmama yardım edin." Kokpite tırmanıp rutin işlemleri yapmaya başladı, ama yarısında kesip şehrin bulunduğu taraftan gelen at seslerine kulak verdi. "Lanet olsun," diye mırıldandı. "Kimsenin dikkatini çekmeden kaçmaya çalışıyordum. Kim bu şimdi?" Kokpitin yanına çömelip karanlığın içinde geleni seçmeye çalıştı. Sonra, eyerdeki uzun, heybetli figürü tanıyınca yüzünü göremediği halde rahatladı. "Penrod Amca!" diye seslendi.

Atlı, atını dizginledi. "Leon? Sen misin?"

"Ta kendisi efendim." Leon sesindeki bezginliği belli etmemeye çalıştı.

Penrod, "Neler oluyor?" diye sordu. "Uçağın gelişini duyduğumuzda Muthaiga Şehir Kulübü'nde Hugh Delamere ile yemek yiyorduk. Neredeyse anında birçok senaryo yazılmaya başlandı. Birisi von Meerbach'ı sedyeyle getirilirken görmüş. Kaza olduğunu, bir aslan tarafından saldırıya uğradığını ve Fräulein von Wellberg'in de kayıp ya da ölü olduğunu söylüyorlardı. Hastaneye gittim, ama doktorun ameliyatta olduğunu, benimle görüşemeyeceğini söylediler. Sonra kolonide uçak kullanabilen sadece iki kişi olduğunu hatırladım ve von Meerbach bunu yapacak durumda olmadığına göre senin geldiğini tahmin ettim. Sonra da sana bakmaya geldim."

Leon güldü. Tuğgeneral Ballantyne'yı atlatmak kolay değildi. "Amca, gerçekten çok zekisiniz."

"Ya, herkes öyle diyor. Şimdi oğlum, tam bir rapor istiyorum. Senin niyetin nedir? Von Meerbach'ın başına tam olarak neler geldi ve o tatlı Fräulein nerede?"

"Duyduğunuz söylentilerden bazıları doğru efendim. Von Meerbach'ı av sahasından getirdim. Gerçekten aslan yaraladı, hem de çok kötü bir şekilde. Doktora emanet ettim. Kurtulacağını düşünmüyorum. Durumu çok kötüydü."

"Böyle bir şeyin olmasına nasıl izin verdin Leon?" Penrod'un ses tonu öfkesine ihanet ediyordu. "Onca emeğim de boşa gidecek."

"Masai'ler gibi *assegai* ile aslan avlayacağım, diye tutturdu. Müdahale etmeme fırsat kalmadan yere yıkılmıştı bile."

Penrod, "Bu adam tam bir ahmak," diye söylendi. "Senin de ondan kalır yanın yok. Kendini böyle bir duruma sokmasına asla izin vermemeliydin. Ne kadar önemli olduğunu, ondan neler öğrenmeyi umduğumuzu biliyordun! Lanet olsun! Onu durdurmalıydın. Bebekmiş gibi arkasını kollamalıydın."

"Kendi aklı olan kocaman kötü bir bebek, efendim. Bakmak kolay değil." Leon'un sesinden öfkesi hissediliyordu.

Penrod hemen konuyu değiştirdi. "Von Wellberg nerede peki? Umarım onu da aslanlara atmamışsındır?"

Bu sataşma Penrod'un da umduğu gibi Leon'u sinirlendirdi. Gerçeği ağzından kaçıracaktı ki büyük bir çabayla kendini tuttu. Eva'nın sesi kulağındaydı: *Nerede olduğumu soran olursa, ve bu kişi kim olursa olsun, yerimi söyleme. Sadece kayboldu de.*

Kim olursa olsun derken Penrod Amca'mda buna dahil miydi? Leon'un aklı hızla çalışıyordu. Alayın yemeğinde bahçede tanık olduğu sahne gözünün önüne geldi. O zamanki kuşkuları boşuna olmamalıydı. Eva'nın hiç öyle, aralarında özel bir ilişki varmış gibi davrandığını görmemişti. Sonra Eva'nın askerlikle bağlantısına dair sözlerini hatırladı. Penrod kolonideki askeri güçlerin komutanıydı. Her şey zihninde belli belirsiz bir anlam kazanmaya başlıyordu.

Eva *bir canavarın eline düştüm* demişti. O canavar Penrod Amca mıydı? Eğer öyleyse, Leon da ona kötülük eden taraftaydı. Derin bir nefes alıp, "O kayboldu efendim," dedi.

Penrod, "Ne demek kayboldu?" diye hırladı.

Bu ani ve şiddetli tepki Leon'un kuşkularını doğrulamıştı. Penrod bu karanlık sırrın tam ortasındaydı.

Sen de askersin Porsuk, tıpkı benim gibi. Görev ve yurtseverlik ne demektir bilirsin.

Evet, o bir askerdi ve şimdi burada üstüne yalan söylüyordu. Daha önce de üstüne itaatsizlik ve görevi ihmalle suçlanmıştı. Şimdi de aynı suçları işliyordu, ama bu sefer bunu kasten ve isteyerek yapıyordu. Tıpkı canavarın eline düşen Eva gibi.

"Hadi oğlum, anlat şunu. Ne demek kayboldu? İnsanlar havaya uçmaz ki."

"Aslan saldırdığında von Meerbach'ı kurtarmaya çalışıyordum. Tehlikede olan oydu..." durdu, neredeyse, Eva değil, diyecekti, ama, "...hanımefendi değil," diye devam etti. "Geride kalmasını söyledim ve Masai'lerin arasına koştum. O karmaşada kendisini görmedim. Daha sonra, aslan von Meerbach'a saldırınca, aklımda bir tek şey vardı o da onu, Doktor Thompson'a yetiştirmekti. Havalanana kadar Fräulein von Wellberg, aklıma gelmedi, o zaman da dönüp onu almak için çok geçti. Manyoro'yla Loikot'un onu bulup güvenli bir yere götüreceğine inanmak zorundaydım. Eminim öyle de yapmışlardır. Fakat yine de gece uçmayı göze alıp vadiye onu bulmaya gidiyordum."

Penrod, atını uçağın yanına yaklaştırıp Leon'un gözlerinin içine baktı. Leon yalan söylediğinin yüzünden belli olacağına emindi. Karanlığa, onu Penrod'un keskin gözlerinden sakladığı için şükretti.

"Beni iyi dinle Leon Courtney! Onun başına bir şey gelirse hesabını bana verirsin. Şimdi, emrim şu. İyice dinle. Eva von Wellberg'i nerede bıraktıysan gidip bulacaksın. Ve doğruca bana getireceksin. Başka kimseye değil. İyice anlatabildim mi?"

"Kesinlikle efendim."

"Beni hayal kırıklığına uğratırsan 'acı' ve 'çekmek' kelimelerinin anlamını iyice öğretirim sana. Freddie Snell'i mumla ararsın. Uyarmadı deme sonra."

"Anladım efendim. Şimdi pervanelerin önünden çekilmek lütfunda bulunursanız emirlerinizi yerine getireceğim."

Ludwig, koca Meerbach kamyonunu pistin diğer tarafına götürüp farları pisti aydınlatacak şekilde bıraktı. Leon, uçağı kükreyerek havalanırken farların aydınlığında Penrod'un siluetini gördü. Amcasının öfkesinin ateşini neredeyse havadan bile hissedebilmişti.

Pistin sonundaki ağaçları geçer geçmez Percy Kampı'na doğru döndü. O yükseldikçe ay da yolunu aydınlatmak için karanlık ufukta belirmeye başlamıştı. Bir süre sonra kampın üstünde yükselen tepe karşısında belirdi. Max Rosenthal'ın dikkatini çekmek için motorlara güç verip havada üç tur attı, sonra gazı azalttı. Son turunu yaparken aşağıdaki arabanın farlarının yandığını gördü, sonra da pisti aydınlatmaya başladıklarını fark etti. Max neye ihtiyacı olduğunu anlamış ve aracı Leon'un inişine yardımcı olacak şekilde park etmişti.

Leon, *Arı*'yı durdurur durdurmaz çantasını yandan attı, sonra Holland tüfeğiyle fişekliğini kaptı. Aşağı inip kamyona koştu.

"Max, en iyi atlarımızdan dört tane istiyorum, bir seyis gelsin benimle. Birer ata biner, diğerlerini de yedekleriz."

"*Jawohl* patron. Nereye gidiyorsun? Ne zaman gitmek istiyorsun?"

"Nereye gittiğimi boş ver, bir an önce gitmek istiyorum."

"*Himmel!* Saat on bir oldu. Sabahı bekleyemez misin?"

"Acelem var, Max."

"*Ja,* öyle görünüyor."

Leon çadırına koşup küçük çantasına gerekli bir iki şey attı, sonra da atların bulunduğu yere gitti. Atlar hazırdı, ama emrettiği gibi dört tane değil beş tane vardı. Siyah katırın üstündekini tanıyınca Leon'un yüz ifadesi yumuşadı, hafif bir tebessüme dönüştü. "Peygamber'in duası üstüne olsun," dedi.

Ay ışığında İsmail'in dişleri parladı. "Efendi, bensiz aç kalırsın diye düşündüm."

İki kere at değiştirerek bütün gece yol aldılar. Şafakla birlikte Lonsonyo Dağı'nın mavimsi kütlesi uzakta görünmeye başladı. Öğle vakti olduğunda güneş doğu ufkunun yarısını kaplamıştı, ama bu manzara Leon'a yabancıydı. Dağa daha önce hiç bu taraftan yaklaşmamıştı. Kuzey yamacı şimdi bütün heybetiyle ortaya çıkmıştı, Eva'nın Graf Otto'yla geçerken gördüğü yüzüydü bu.

Percy Kampı'ndan beri neredeyse on üç saattir yoldaydılar. Eva ile buluşmak için sabırsızlanmasına rağmen, insanlardan da hayvanlardan da daha fazlasını isteyemeyeceğini biliyordu. Adamların dinlenmesine, atların otlanıp su içmesine izin vermek zorundaydı. Küçük bir gölcüğün başında durup hayvanları suladıktan sonra otlasın diye bıraktılar.

Onlar o işlerle uğraşırken İsmail de kahve yaptı, soğuk geyik etini dilimledi, yanına soğan turşusu ve mayasız ekmek koydu. Leon karnını doyurduktan sonra gece iyice bastırana kadar uyudu. Sonra yeniden atlara binip karanlıkta ilerlemeye başladılar. Gece serinliğinde atlar daha hızlı gitti ve şafak sökerken dağ tepelerinde belirdiler. Leon huşu içinde zirvelere baktı: yüksek yamaçlar parlak renkli likenlerle bezenmişti. İki koca kayayı ayıran şelalenin gümüşi parıltısını da seçebiliyordu. Bu açıdan döküldüğü noktayı göremese de, bunun Eva'yla yukarıdan gördükleri şelale olduğunu tahmin ediyordu.

Loikot'tan şelalenin yanında bir patika olduğunu öğrenmişti ve bu Eva'yla Lusima'ya gitmek için kullanmayı düşündükleri yoldu. Ama şu anda orayı dürbünle bile göremeyecek kadar uzaktaydı. O ihtimali bırakıp mesafeleri ve diğerlerin geleceği yönü tahmin etmeye çalıştı, onlarla tırmanmaya başlamadan karşılaşmayı umuyordu. Ama çoktan onu geçmiş olabileceklerini de düşünüyordu.

Ne olursa olsun Eva'nın yakında olduğunu hatırlamak içini rahatlattı. İsmail ve seyis hızına yetişemez olmuşlardı. Bir saat sonra aniden atını dizginledi ve hemen yere atlayıp savanda birbirine karışan sayısız ayak izlerinden birinin yanına çömeldi. İnce kumun üstünde üç insana ait taze izler vardı. Manyoro önden gidiyordu, Leon, onun aksak ayağını nerede görse tanırdı, hafifçe yere sürünerek giden parmağı fark etmemek mümkün değildi. Loikot uzun, hafif adımlarıyla onun peşindeydi ve Eva da en arkadan yürüyordu.

Onun düzgün, zarif ayak izini elleyip, "Ah, sevgilim!" diye mırıldandı. "Minik ayakların bile ne kadar güzel."

Üç iz doğruca dağa gidiyordu ve Leon da atına atlayıp hızla sürmeye başladı. Yol, her adımda biraz daha dikleşerek ilk bayırları aşıyordu. Sonunda zirve tüm gökyüzünü kaplar hale geldi ve üzerinden uçup giden bulutlar Leon'a dağ üzerine çöküverecekmiş gibi garip bir duygu verdi.

Bir süre sonra yol o kadar dikleşti ki atından inip hayvanı çekerek götürmek zorunda kaldı. Arada durup Eva'nın çizmelerinin izini kontrol ediyor ve bu da onu daha da hızlanmaya teşvik ediyordu. Tırmanış çok dik olduğu için ancak biraz ileriyi görmek mümkündü, ama o yılmadan devam etti. Diğerleri de ona yetişmeye çalışıyordu, fakat araları giderek açılmaya başlamıştı. Dağın yamacındaki bir çıkıntıya ulaşınca hayranlıkla aşağı baktı.

Karşısında daire şeklindeki havuz duruyordu. Uçaktan göründüğünden çok daha büyüktü, ama üzerinde yükselen yamacın inanılmaz görüntüsü ve şelalenin gümbür gümbür akan suyu yüzünden küçülüyordu. Sular o kadar gürdü ki kayadan kazanın etrafında soğuk hava girdapları oluşturuyordu.

Sonra bir ses duydu, hafif bir sesti ve neredeyse şelalenin gürültüsünden duyulmayacak gibiydi. Bu onun sesiydi ve Leon'un kalbi heyecanla çarpmaya başladı. Burada sesler yankı yapacağı için umutla yamacın iki tarafına da baktı. Sonra o da, "Eva!" diye haykırdı ve kendi sesinin yankılarını dinledi.

"Leon! Sevgilim!" Bu kez sesin geldiği yön daha belirgindi. Havuzun soluna doğru dönüp başını yukarı kaldırdı. Oldukça yukarıda bir hareket gözüne çarptı ve Eva'nın yamaçtaki bir çıkıntıda durduğunu anladı. Ama Leon bakarken Eva bir dağ tavşanının hızı ve çevikliğiyle ona doğru koşmaya başlamıştı bile.

"Eva!" diye seslendi. "Geliyorum sevgilim!" Atının dizginlerini bırakıp tırmanmaya başladı. Artık Eva'nın üstündeki patikada duran iki Masai'yi de görebiliyordu. Bu olağanüstü manzarayı nasıl şanssızlıkla izledikleri bu mesafeden bile belli oluyordu. Eva'yla ikisi çıkıntının başına neredeyse aynı anda geldiler, ama Leon altında, Eva ise üstündeydi, aralarında iki metre mesafe vardı.

"Tut beni Porsuk!" diyen Eva, onun gücüne güvenerek kendini aşağı bıraktı. Leon, onu yakaladı ama hızı ve ağırlığı yüzünden yere yuvarlandılar. Leon yanına diz çöküp onu bağrına basarken her ikisi de kahkahalarla gülüyorlardı.

"Seni seviyorum çılgın kız!"

Dudakları birleşirken Eva, "Beni bir daha hiç bırakma!" dedi.

Leon dudaklarını ayırmadan, "Asla!" dedi.

Çok sonra soluklanmak için ayrıldıklarında Manyoro ve Loikot'un da Eva'nın peşinden gelmiş olduklarını ve hemen üstlerindeki çıkıntıya çömelip büyük bir keyifle gösteriyi izlediklerini fark ettiler.

Leon, "Gidip başka yerde eğlendirin kendinizi!" dedi. "Burada istenmiyorsunuz. Atımı da alın ve aşağı inip İsmail'i bulun. Dağın eteğine kamp kursun. Bizi bekleyin. Bu gece orada kalacağız."

Manyoro, "*Ndio* Bwana," dedi.

"Ve öyle kıkırdaşmayı da kesin."

"*Ndio* Bwana!"

Aşağı inerken Manyoro'nun kıkırdaması duyulmaz oldu, ama Loikot yerinden kıpırdamamıştı. Birden, Eva'nın sesini taklit ederek Manyoro'ya seslendi. "Tut beni Porsuk," diyerek kendini Eva'nın yaptığı gibi aşağı bıraktı. Bütün ağırlığıyla Manyoro'nun üstüne atladı ve ikisi birlikte yere düştüler. Sonra birbirlerine sarılmış vaziyette, "Tut beni, tut beni Porsuk," diye bağırıp, kahkahalar atarak aşağı yuvarlandılar.

Gülmekten ne Leon, ne de Eva konuşamıyorlardı. En sonunda Leon kendine geldi. "Gidin sizi budalalar! Kaybolun gözümün önünden. İkinizi de uzun, çok uzun bir süre görmek istemiyorum!"

İki Masai kahkahalar atıp, birbirlerine neşeyle sarılarak inmeyi sürdürdüler.

Manyoro, "Tut beni Porsuk," diye uludu.

"Seni seviyorum çılgın kız!" Loikot yanaklarını tokatlayıp başını salladı. "Seni seviyorum," diye tekrarladı ve üç adım yukarı zıpladı.

İki adam yolun aşağısında gözden kaybolurken Leon, Eva'ya, "Hiç kuşkusuz Masai tarihine geçen en komik olay olacak," dedi. "İkimizi kabile efsanelerinde anlatacaklar." Eva'ya sarıldı, o da kollarını boynuna doladı. Sonra kucağına alıp havuzun yanındaki düz kayaya taşıdı ve kucağında Eva'yla oraya oturdu. "Sana böyle sarılmayı nasıl istedim bilemezsin," diye fısıldadı.

Eva da, "Ben de bütün hayatım boyunca bunu bekledim," diye cevap verdi.

Leon, kızın yüzünü okşadı, parmaklarını kaşlarında gezdirdi, sonra da gür saçlarının arasına sokup, altınlarını sayan bir cimri gibi, o güzelim buklelerin tadını çıkardı. O kadar kırılgan ve narin görünüyordu ki onu incitmekten, irkiltmekten ya da ürkütmekten korkuyordu. Güzelliği başını döndürüyordu. Tanıdığı hiçbir kadına benzemiyordu. Kendini yetersiz, değersiz hissetmesine yol açıyordu.

Eva, onun yaşadığı ikilemi anlamıştı. Onun çekingenliği uzun zamandır hissetmediği şefkat duygularını uyandırıyordu. Onu çok istiyordu ve daha fazla beklemek istemiyordu. İlk hareketin kendisinden gelmesi gerektiğini biliyordu.

Leon, Eva'nın gömleğinin düğmesini açtığını hissetti ve bir eli açılan boşluktan içeri girip göğsündeki sert kasları okşamaya başladı. Leon zevkle ürperdi. Eva, "Ne kadar sıkı, ne kadar güçlüsün," diye mırıldandı.

"Ve sen de ne kadar yumuşak, ne kadar narinsin."

Eva biraz geri kaykılınca göz göze geldiler. "Ben kırılgan değilim Porsuk. Senin gibi kanlı canlıyım. Ben de senin istediğin şeyi istiyorum." Leon'un kulak memesini hafifçe dişledi. Leon ensesindeki tüylerin ürperdiğini hissetti. Eva dilini kulağına sokunca da zevkten titredi.

"Benim de senin gibi hassas yerlerim var." Leon'un elini alıp göğüslerinin üstüne koydu. "Şurama ve şurama, bu şekilde dokunursan ne olacağını kendin de görürsün."

Leon eliyle gömleğinin düğmelerini bulup üsttekini açtı. Çekinerek, paylanmayı bekleyerek açmıştı, ama Eva omuzlarını geriye atıp göğüslerini öne çıkardı.

"Akıllı bir çocuksun! Önemli yerlerimden birini ben göstermeden buldun bile."

Eva'nın sözleri, sesindeki çağrı Leon'un sabrını yitirmesine yol açtı. Bütün çekingenliklerini bir yana atıp genç kadının gömleğini bir çırpıda açtı ve ellerini içine soktu. Göğüsleri sıcacık ve ipek gibiydi, uçlarının sertleşip büzüldüğünü hissetti. "Onlar senin sevgilim. Neyim varsa hepsi senin," diye fısıldarken soluk soluğaydı.

Göğüslerini hafifçe Leon'un yüzüne sürerek doğruldu ve gömleğiyle ipekli fanilasını çıkardı, beline kadar çıplak kalmıştı. Sonra yine göğüslerini Leon'un yüzüne sürünce Leon birinin ucunu ağzına aldı. Eva zevkten soluyarak geriye kaykıldı, sonra Leon'un saçından bir tutamı kavrayıp onu diğer göğüs ucuna yöneltti.

Adeta çaresizlik içinde, "Bağışla sevgilim, daha fazla bekleyemeyeceğim," diye haykırıp bir süre kucağında kıvrandıktan sonra önünde diz çöküp elini kemerinin tokasına attı. Kemerin tokası ve pantolonun düğmeleri açılınca Leon, kendini biraz yukarı kaldırıp pantolonunu aşağı çekmesine yardım etti. Eva uzun eteğini de kaburgalarının altında toplamıştı. Altına hiçbir şey giymemişti ve incecik beli bir Grek vazosunun boynu gibi tatlı bir kıvrımla kalçalarına uzanıyordu. Göbeğinin derisi sedef gibi ve pürüzsüzdü. Güçlü uylukları biçimliydi ve arasında kadınsı ormanı vardı. Koyu renk kıvırcık tüyleri muhteşem görünüyordu. Ata biner gibi Leon'un üstüne oturdu ve o sırada Leon, tüylerinin arasından cinsel organını gördü. Kabarmış ve duyduğu istekle ıslanmıştı. Sonra tek bir kalça hamlesiyle Leon'u içine aldı ve ikisi birlikte acı çekercesine indiler.

İkisi için de her şey o kadar ani ve yoğun olmuştu ki değil konuşacak, kıpırdayacak halleri bile kalmamıştı, sanki büyük bir deprem ya da kasırga atlatmış gibi birbirlerine sarılıp öylece kaldılar. Akıllarının başlarına gelmesi ve toparlanmaları uzun sürdü.

Önce Eva konuşmaya başladı. "Bu kadar güzel olabileceğini hiç düşünmemiştim." Başını Leon'un göğsüne dayayıp kalp atışlarını dinledi. Leon saçlarını okşayınca gözlerini kapattı. Öylece uyudular ve yamaçta haykıran babunların sesiyle uyandılar. Eva yavaşça doğrulup oturdu ve saçlarını yüzünden çekti. Saçı hâlâ nemli, yanakları pembe pembeydi. "Ne kadar uyumuşuz?" Gözlerini kırpıştırdı.

"Önemli mi?"

"Çok önemli. Birlikte geçireceğimiz zamanın bir anını bile uykuyla harcamak istemiyorum."

"Önümüzde uzun bir hayat var."

"Tanrı'ya dua ediyorum öyle olsun diye. Ama bu dünya çok zalim." Ümitsiz ve mahzun görünüyordu. "Lütfen beni hiç bırakma."

Leon ateşli bir şekilde, "Asla," dedi ve gülümseyen Eva'nın gözlerinde menekşe rengi kıvılcımlar çaktı.

"Haklısın Porsuk. Sonsuza kadar mutlu olacağız. Böyle güzel bir günde kederli olmayı istemiyorum. Dünya asla erişemez bize." Ayağa fırlayıp kendi etrafında döndü. "Bugün sonsuza kadar sürecek," diye şakıdı ve dans ederek eteğini de fırlatıp bir kenara attı.

"Ne yapıyorsun seni utanmaz kız?" Leon gün ışığında kendisi için çırılçıplak dans eden Eva'yı seyrederken gülüyordu. Vücudu çok güzel, diri ve uyumlu, hareketleri kıvrak ve zarifti.

Eva, "Sihirli havuzumuzda yüzmeye çağırıyorum seni," diye bağırdı. "Üstünüzdeki o tozlu giysileri atın ve benimle gelin bayım." Dans etmeyi bırakıp bütün dikkatiyle ayağa fırlayıp çizmelerini çıkarmaya çalışan Leon'u seyretti.

"Bunu yaparken her yerin hoplayıp zıplıyor," dedi.

"Seninkiler de öyle."

"Benimkiler seninkiler kadar güzel ve yararlı değil."

"Ah öyleler, hem de nasıl." Pantolonunu bir kenara fırlatıp Eva'nın peşinden koştu. "Gel de göstereyim nasıl işe yaradıklarını." Eva korkmuş gibi yapıp kenara doğru kaçtı ve peşinden gelip gelmediğine baktı. Sonra ellerini başının üstünde birleştirip havuza atladı. Ok gibi daldı, kolları bacakları o kadar uyumlu hareket ediyordu ki hemen hemen hiç su sıçratmamıştı. Bir süre derinden gitti, sadece silueti seçiliyor bir de çıkardığı kabarcıklar görünüyordu. Sonra hızla sudan çıkıp beline kadar havaya fırladı ve yeniden battı. Saçları su samuru kürkü gibi omuzlarına dağılmıştı.

"Soğukmuş! Bahse girerim ki sen korkar giremezsin," diye bağırdı.

"Bahsi kaybettin, şimdi de hakkımı istemeye geliyorum."

"Önce beni yakalaman gerek." Gülerek karşı kıyıya doğru yüzmeye başladı.

Leon başını sudan çıkarmadan güçlü kulaçlar atarak peşinden gitti ve yarı yolda yakalayıp arkasından sarıldı. "Hakkımı vereceksin," diyerek kızı kendine çevirdi.

Eva kollarını boynuna doladı ve öpüşmeye başladılar. Öpüşerek suya daldılar ve öksürerek, gülerek tekrar çıktılar. Eva'nın uzun bacakları Leon'un belinde, kollarıysa boynunda kenetlenmişti. Sonra yükseldi, Leon'u başından bastırarak suya itti ve kendini kurtarıp ok gibi uzaklaştı. Ancak havuzun diğer ucuna ulaşınca dönüp arkasına baktı. Şelale iki kol halinde dökülüyordu ve arada suyun sakin olduğu bir kısım vardı. Bu cennetin ortasında üzeri sular tarafından cilalanmış siyah bir kaya vardı. Eva o kayaya çıkıp bacaklarını suya sarkıtarak oturdu. İki eliyle ıslak saçlarını gözlerinden çekip Leon'a bakındı. Önce gülüyordu, ama onu göremeyince endişelendi. "Porsuk! Leon! Neredesin?" diye bağırdı.

Aslında Leon da arkasından gelmişti, ama o siyah kayaya yaklaşırken derin bir nefes alıp dibe dalmıştı. Bir süre o şekilde yüzdü. Yüzeyde bir dalgalanma görmediğine göre su dipsiz bucaksız olmalıydı. Şelalelerden dökülen muazzam su kütleleri başka bir yerden çıkış buluyordu herhalde. Fakat dibe dalınca yanıldığını anladı. Havuzun dibi biraz altında görünüyordu ve bu derinlikte bile o kadar berraktı ki yamaçtan düşmüş olması gereken kaya parçalarıyla dolu olduğu anlaşılıyordu.

Artık basınç yüzünden kulakları acımaya başlamıştı. Onları temizlemek için durdu, burnunu kapatıp östaki tüplerinden dışarı hava verdi. Kulakları bir çınlamayla açılmış ve acısı azalmıştı. Yüzmeye devam etti. Dibe ulaşınca kayaların arasında garip bir Masai koleksiyonu olduğunu gördü: antik *assegai* ve baltalar, kırık çömlekler, boncuktan kolyeler ve bilezikler, tahtadan ve fildişinden oyulmuş küçük heykelcikler, ilkel mücevherler ve ne olduğu anlaşılamayacak kadar çürümüş bazı başka nesneler. Bütün bunlar Masai'lerin çağlardır kabile tanrılarına adamış oldukları şeylerdi.

Artık oksijeninin azaldığını düşünerek etrafa son kez bakındı ve suyun neden taşmaya başladığını anladı. Şelalenin altındaki duvar, muhtemelen antikçağlarda dağın altındaki volkandan püsküren lav ve gazlar yüzünden hemen hemen yatay sayılacak galerilere bölünmüştü. Şelaleden gelen sular bu karanlık ve tekinsiz pasajlardan süzülüyor ve havuzun su seviyesi o sayede hep aynı kalıyordu. Artık ciğerleri patlayacak gibi olduğu için yukarı doğru yüzdü. Işığa doğru yaklaşırken tepesinde bir çift salınan kadın bacağı olduğunu fark etti. Onlara doğru yüzdü, bileklerden yakaladı ve bacakların sahibini aşağı çekti. Önce birlikte battılar, sonra nefes nefese, birbirlerine sarılmış olarak yüzeye çıktılar.

Eva konuşacak gücü daha önce buldu. "Seni kalpsiz domuz! Boğuldun ya da bir timsahın seni yediğini düşündüm. Nasıl böyle zalimce bir oyun oynarsın bana?"

Birlikte giysilerini bıraktıkları yere yüzdüler.

Leon, "Soğuktan donmanı istemeyiz," dedi ve Eva çırılçıplak beklerken gömleğiyle onu iyice kurulmaya başladı.

Eva ellerini başının üstünde tutarak her tarafını kurulayabilsin diye kendi etrafında döndü. "Ne kadar büyük gözleriniz varmış bayım. Kurulamaktan çok bakmakla meşgulsünüz. O tek gözlü arkadaşınız da öyle. İkinizin de gözünü bağlasaymışım keşke."

Leon, "Hangimiz kalpsiz oluruz o zaman?" dedi.

"Ben değil! Dur da ikinize birden göstereyim nasıl bir kalbim olduğunu." Uzanıp arkadaşı sıkıca ama acıtmadan tuttu. Bu ilk kutsal buluşmada henüz birbirlerine doyamamışlardı.

El ele aşağı doğru yürürlerken neredeyse hava kararmıştı. Havuzu gözlerden gizleyen çıkıntıya gelir gelmez çok uzakta olmayan kamp ateşini gördüler. Ateşin önüne otursunlar diye bir kütük yerleştirilmişti. Kütüğe oturdular ve İsmail iki fincan sert, sütsüz kahve getirdi.

Eva havayı kokladı. "Bu güzel koku nedir İsmail?"

İsmail, onun Fransızca veya Almanca değil de İngilizce konuşmasına hiç şaşırmadı. "Yeşil güvercin güveci Hanım Sahip."

Leon, "İsmail'in ilahi tarifiyle," diye ekledi. "Ancak çıplak kafayla bükülmüş diz üzerinde yenir."

"O kadar açım ki iki dizimi de bükebilirim. Ya yüzmekten ya da başka bir nedenle iştahım açıldı."

Leon güldü. "*Viva!* Yaşasın o başka neden."

Hemen karınlarını doyurdular, çok tatlı bir yorgunluk içindeydiler. Manyoro ile Loikot onlara kendi kulübelerinden uzakta, saz damlı bir sığınak yapmış, İsmail de taze otlardan bir şilte hazırlayıp üstünü battaniyeyle örtmüştü. Üzerine de Leon'un cibinliğini asmıştı. Giysilerini çıkardılar ve Leon cibinliğin altına girmeden önce mumu söndürdü.

Eva, "Burası o kadar güvenli ve rahat ki," diye fısıldadı. Leon da onun arkasına uzanıp kollarını vücuduna doladı. Eva yuvarlak kalçalarını Leon'un karnına doğru itince bir çift kaşık gibi oldular. Kamp ateşinden vuran ışıklar başlarının üstünde gölge oyunları yaratıyor ve ağaçtaki baykuş yavrularının cıvıltısı ninni gibi geliyordu.

Eva, "Hayatımda hiç böyle tatlı bir yorgunluk yaşamamıştım," diye mırıldandı.

"Çok mu yorgunsun?"

"Onu demek istemedim aptal adam."

Eva şafakla birlikte uyandığında Leon'u bağdaş kurmuş oturur vaziyette buldu. "Beni mi seyrediyorsun," dedi azarlarcasına.

Leon, "Suçluyum," dedi. "Hiç uyanmayacaksın sandım. Hadi gel."

"Daha gece yarısı Porsuk."

"Sazların arasından parlayan sarı şeyi görüyor musun? Ona güneş deniyor."

"Bu garip vakitte nereye gitmek istiyorsun ki?"

"Sihirli havuzunda yüzmeye."

"Neden baştan söylemedin?" Eva battaniyeyi hemen atmıştı üstünden. Su serindi ve vücutlarından ipek gibi kayıp gidiyordu. Sonra kurumak için sabah güneşinin altında uzandılar. Biraz ısınıp kanları kızışınca yeniden seviştiler. Eva sonunda ciddi bir tavırla, "Hiçbir şey dünden güzel olamaz sanıyordum, ama bugün daha güzel," dedi.

"Sana bugün ne kadar mutlu olduğumuzu anımsatacak bir şey vermek istiyorum." Leon ayağa kalktı ve kenardan suya atladı.

Eva, onun giderek derine dalışını izledi. Derinde kalışı o kadar uzun sürdü ki endişelenmeye başlamıştı, ama tam o sırada gelmekte olduğunu gördü. Yüzeye çıkan Leon başını savurarak ıslak saçlarını yüzünden çekti. Kıyıya yüzüp yukarı çıktı. Sonra deri bir şeride dizilmiş fildişi boncuklardan oluşan kolyeyi uzattı.

Eva, "Çok güzel!" diyerek el çırptı.

"İki bin yıl önce, buralardan geçerken Kraliçe Sheba tanrılara armağan etmiş. Şimdi ben de sana veriyorum." Deri şeridi boynuna takıp ensesinde bir düğüm attı.

Eva göğüslerinin arasında yatan boncuklara baktı ve canlıymışlar gibi okşadı. "Kraliçe Sheba gerçekten geçmiş mi buradan?"

"Hiç sanmıyorum." Leon güldü. "Ama güzel bir masal oldu."

"Ne kadar güzel bu boncuklar, ne kadar pürüzsüz ve zarif." Bir tanesini parmaklarının arasında döndürdü. "Ah, keşke yanımda ayna olsaydı."

Leon, onu kaldırıp kenara getirdi ve belinden sıkıca tuttu. "Eğil de bak," dedi. İkisi sessiz ve ciddi bir tavırla suya yansıyan çıplak bedenlerini seyrettiler. Sonunda Leon yumuşak bir sesle, "Kim bu sudaki kız? Adı Eva von Wellberg değil, değil mi?" diye sordu. Eva'nın yüz ifadesi değişti, gözleri yaşardı. "Çok özür dilerim. Seni üzmeyeceğime söz vermiştim."

"Hayır!" Eva başını salladı. "Doğru olanı yaptın. Birlikte bir düşü paylaştık, ama artık gerçekle yüzleşme vakti geldi." Eva başını çevirip Leon'a baktı. "Haklısın Leon. Ben Eva von Wellberg değilim... von Wellberg annemin kızlık soyadı. Benim adım Eva Barry." Uzanıp elini tuttu. "Gel yanıma otur da sana Eva Barry hakkında bilmek istediklerini anlatayım." Az önce uzandıkları yere gidip karşılıklı bağdaş kurarak oturdular.

"Seni uyarmam gerek, bu sıradan ve kötü bir hikâye, pek gurur duyacağım şeyler yok içinde, seni rahatlatacak fazla bir şey de yok, ama ikimiz için de mümkün olduğu kadar acı vermeyecek şekilde anlatmaya çalışacağım." Derin bir nefes alıp konuşmaya devam etti. "Yirmi iki yıl önce Yorkshire'da Kirkby Lonsdale denen küçük bir köyde doğdum. Babam İngiliz'di ama annem Alman'dı. Almancayı annemden öğrendim. On iki yaşıma geldiğimde Almancam da hemen hemen İngilizcem kadar iyiydi. Annem o yıl doktorların çocuk felci dediği kötü bir hastalık yüzünden öldü. Hastalık yüzünden ciğerleri çalışmaz oldu ve boğuldu. Onun ölümünden birkaç gün sonra babam da aynı hastalığa yakalandı ve bacakları tutmaz oldu. Hayatının geri kalanını tekerlekli iskemlede geçirdi."

Önce duraklayarak konuşuyordu, ama giderek nefes almadan anlatmaya başlamıştı. Sonra ağlamaya başladı. Leon, onu kollarının arasına alıp sıkıca sarıldı. Eva yüzünü göğsüne yaslayınca gözyaşlarının sıcaklığını hissetti.

Saçlarını okşadı. "Seni üzmek istememiştim. Bana anlatmak zorunda değilsin. Hadi sus artık. Geçti canım, geçti Eva."

"Sana anlatmam lazım Porsuk. Sana her şeyi anlatmalıyım ama o arada bana sıkıca sarıl, olur mu?"

Leon, Eva'yı kaldırıp şelaleden uzakta bir gölgeye götürdü, söyledikleri daha rahat duyulacaktı böylece. Sonra oturup küçük bir kız gibi onu da kucağına oturttu. "Madem anlatman gerekiyor anlat o zaman," dedi.

"Babamın adı Peter'dı ama ben ona Kıvırcık derdim çünkü başında hiç saç yoktu." Gözyaşlarının arasından gülümsedi. "Tutmayan bacaklarına ve kel kafasına rağmen dünyanın en güzel adamıydı. Onu çok seviyordum ve benden başkasının onunla ilgilenmesini istemiyordum. Onun için her şeyi yapardım. Zeki bir çocuktum ve doğal yeteneklerimi geliştireyim diye Edinburgh'taki üniversiteye gitmemi istiyordu, ama onu bırakamazdım. Harap olmuş bedenine rağmen olağanüstü bir beyni vardı. Bir mühendislik dehasıydı. Tekerlekli iskemlesinde otururken mekanik ilkeleri üzerine devrim niteliğinde hayaller kurardı. Küçük bir şirket kurmuş ve tasarladığı modelleri yapsınlar diye iki teknisyen tutmuştu. Fakat onların maaşlarını ve malzemelerinin parasını ödedikten sonra elinde bizi geçindirmeye yetecek para kalmıyordu. Para olmayınca patentler yararsızdı. Para olsa o zaman gerçekten kıymetli bir şeyler ortaya çıkabilirdi."

Durup burnunu çekti, sonra da ıslak burnunu Leon'un göğsüne sürdü. Bu o kadar çocuksu bir hareketti ki Leon'u çok etkiledi. Tepesinden öpünce Eva iyice sokuldu. Leon, "Devam etmek zorunda değilsin," dedi.

"Evet, zorundayım. Eğer senin için bir şey ifade ediyorsam bütün bunları bilmeye hakkın var. Artık senden hiçbir şey saklamak istemiyorum." Derin bir nefes aldı. "Bir gün Kıvırcık'ın atölyesine gizlice bir adam geldi. Avukat olduğunu ve çok zengin bir müşteriyi temsil ettiğini söyledi, adamın buhar makineleri, arabalar ve uçaklar üreten fabrikaları vardı. Kıvırcık'ın tescilli tasarımlarını Londra'daki patent bürosunda görmüştü. Potansiyel değerlerini anlamıştı. Eşit ortaklık öneriyordu. Kıvırcık beynini ortaya koyacak o da finansman sağlayacaktı. Kıvırcık onunla bir antlaşma imzaladı. Finansör Alman olduğu için antlaşma da Almancaydı. Karısı da Alman olduğu halde Kıvırcık kontratın birkaç kelimesinden fazlasını anlamamıştı. O kibar, saf bir dâhiydi, işadamı değildi. Ben de on altı yaşında bir çocuktum ve Kıvırcık imzalamadan önce bana hiç söz etmemişti o antlaşmadan. Bana söylese ona okuyabilirdim. Evi ben çekip çeviriyordum, paradan anlar hale gelmiştim. Belki kontratı öğrendiğim takdirde onu caydırmaya çalışacağımdan korkmuştu, çünkü Kıvırcık tartışmalardan nefret ederdi. Her zaman kolay olanı seçerdi ve bu olayda da kolay olan bana ondan hiç söz etmemekti." Durup iç geçirdi, sonra devam etmek için gözle görülür bir çaba harcadı.

"Kıvırcık'ın yeni ortağının adı Graf Otto Meerbach'tı. Yalnız, şirketin ortağı değil sahibiydi. Kıvırcık çok geçmeden, o kontratı imzalamakla şirketini ve sahip olduğu bütün patentleri acınacak bir fiyata Meerbach Motor Şirketi'ne sattığını öğrenmişti. Kıvırcık'ın buluşlarından biri Meerbach'ın devir motorunu yaratmasını sağladı, başka biri sayesinde ağır araçlar için yepyeni bir diferansiyel sistem geliştirildi. Kıvırcık bir avukat bulup hakkı olanları geri almak istedi ama Meerbach kontratı demir gibi sağlam yapmıştı ve hiçbir avukat bu işe karışmak istemedi.

"Şirketin satışından gelen para uzun süre dayanmadı. Harcamalarımızı azalttığımız halde bütün para Kıvırcık'ın tedavi masraflarına gitti. Doktorlar, ilaçlar... Bu kadar pahalı olabileceğini hiç bilmezdim. Sonra kira vardı, yakıt vardı, Kıvırcık için sıcak tutacak giysiler gerekiyordu. Bacaklarındaki kan dolaşımı kötü olduğu için çok üşüyordu, ama kömür de çok pahalıydı. Kışın hep hasta olurdu. Birkaç ay bir değirmende çalıştı ama o kadar sık hastalık izni aldı ki işine son verdiler. Başka iş de bulamadı. Faturalar, faturalar, faturalar.

"On altıncı yaş günümden iki gün sonra Kıvırcık o krizlerden birini geçirdi. Doktor getirmek için fırladım. Zaten yirmi sterlinden fazla borcumuz vardı ama Doktor Symmonds, Kıvırcık'ın ihtiyacı olunca mutlaka gelirdi. Doktorla birlikte odamıza dönünce Kıvırcık'ın eski bir tüfekle kendini öldürmüş olduğunu gördük. Daha önce birçok kez yiyecek almak için o tüfeği satmak istemiştim, ama asla razı olmamıştı. Ancak o başsız cesedin yanında dururken anladım niye o kadar karşı çıktığını. O muhteşem beyni tekerlekli iskemlenin arkasındaki duvara yapmıştı. Cenaze levazımatçısı onu götürdükten sonra, duvarı temizlemek zorunda kaldım."

Vücudu hıçkırıklarla sarsılıyordu ve Leon, onu teselli edecek söz bulamıyordu. Dudaklarını başına bastırıp, sakinleşene kadar öylece kaldı. "Bu kadar yeter Eva. Çok hırpalanıyorsun."

"Hayır Porsuk. İçim temizleniyor. Yıllardır her şeyi hep içimde biriktirdim. Şimdi ilk kez anlatacağım biri var. Daha şimdiden içimdeki zehrin bir kısmını akıtmışım gibi hissediyorum." Geri çekilip bakınca Leon'un gözlerindeki acıyı gördü. "Ah, özür dilerim. Bencillik ettim. Seni nasıl etkilediğini fark etmedim. Artık anlatmam."

"Hayır. Sana iyi geliyorsa hepsini anlat. İkimiz için de zor, ama böylece seni daha iyi tanıyıp daha iyi anlayabilirim."

"Sen, benim sağlam kayam oldun."

"Kalanını da anlat."

"Artık hiçbir şeyim kalmamıştı. Yalnızdım ve bütün paramı cenaze masrafları için harcamıştım. Kiramı bile ödeyemiyordum. Hangi yöne kaçacağımı bilmiyordum. Günde iki şiline değirmende bir iş buldum. Kıvırcık'ın satranç oynadığı bir arkadaşı vardı ve karısı beni yanlarına aldı. Param oldukça ödüyor ve çocukların bakımına yardımcı oluyordum.

"Bir gün beni görmeye yabancı biri geldi. Kadın çok şık ve güzeldi. Annemin çocukluk arkadaşı olduğunu söyledi, ama birbirlerinin izini kaybetmişlerdi. Başıma gelenleri daha yeni duymuştu ve beni bulup annemin hatırına yardım etmeye karar vermişti. O kadar nazik ve içten davranıyordu ki hiç düşünmeden onunla gittim.

"Adı Bayan Ryan'dı ve Londra'da muhteşem bir evi vardı. Bana özel bir oda verdi, yeni kıyafetler aldı. Bir öğretmenim ve bir de dans hocam vardı. Haftada iki gün gelen bir kadın da bana görgü kurallarını öğretiyordu. Ayrıca binicilik hocam ve kendi atım da vardı. Hyperion adında çok tatlı dişi bir tay. En garip şey Bayan Ryan, bana ısrarla Almanca çalıştırmasıydı. O konuda hiç taviz vermiyordu. Almanca öğretmenlerimle haftada altı gün, günde ikişer saat çalışmak zorundaydım. Bütün Alman gazetelerini yüksek sesle okur, öğretmenlerimle tartışırdım. Kutsal Roma İmparatorluğundan günümüze kadar bütün Alman tarihini yine yüksek sesle okuyarak öğrendim. Aynı şekilde Sebastian Brant'ın, Johann von Goethe'nin ve Nietzche'nin çalışmalarını da. Bu yoğun çalışmaların birinci yılında eğitimli bir Alman kadar iyi konuşur olmuştum.

"Bayan Ryan, benim için bir anne gibiydi. Benim hakkımda, ailem hakkında çok şey biliyordu. Hatta bana benim bilmediklerimi anlatıyordu. Kıvırcık'ın nasıl tuzağa düştüğünü ve Otto von Meerbach'ın nasıl biri olduğunu anlattı. Ondan sık sık söz ederdik. Kıvırcık'ın ölümünden, tetiği kendisi çekmiş kadar sorumlu olduğunu söylerdi. Kendisini hiç görmemiş olsam da ondan nefret etmeye başlamıştım ve Bayan Ryan da bu nefretimi sürekli körüklüyordu. Hükümette önemli bir görevi vardı. Bu görevin ne olduğunu çok sonraları öğrendim, ama sık sık böyle asil bir millete mensup olmanın, dünyanın gördüğü en güçlü ve en büyük imparatorluğun vatandaşları olmanın ne büyük bir ayrıcalık olduğunu konuşurduk. Biz de kralımıza ve imparatorluğa hizmet etmeliydik. Bize herhangi bir şekilde ihtiyaç duyulduğunda hazır olacak şekilde eğitmeliydik kendimizi. Görev ve yurtseverlik gerektirdiğinde her türlü fedakârlığı yapabilmeliydik.

"Bu sözleri bütün kalbimle benimsedim ve onun istediğinden daha fazla çalıştım. Öğretmenlerim ve hizmetkârlar dışında hiç erkek görmeme izin verilmediği için ne kadar güzel olduğumdan veya çoğu erkeğin beni dayanılmaz bulacağından hiç haberim yoktu." Durup kederle başını salladı. "Ah canım. Lütfen beni affet Porsuk. Dayanılmaz bir kendini beğenmişlik oldu."

"Hayır. Sadece yalın gerçeğin ta kendisi. Anlatılamayacak kadar güzelsin. Lütfen devam et, Eva."

"Güzellik ve çirkinlik tesadüfen elde edilen şeyler. Aradaki fark şu ki, güzellik geçiyor ve çirkinliğin başka bir formu haline geliyor. Ben kendi güzelliğime değer vermiyorum ama başkaları verdi. Beni seçmelerinin üç nedeninden biriydi. İkincisi de zekâmdı."

"Üçüncü neydi?"

"Bir hataya kurban gitmiştim ve acısını çıkarmaya can atıyordum."

"Bu, çok kötü niyetli bir tuzak. Tüylerim diken diken olmaya başladı."

"On dokuzuncu doğum günüm için terzi bana şahane bir balo kıyafeti dikti. İlk provada Bayan Ryan da yanımdaydı. İkimiz yan yana boy aynasındaki görüntüme baktık. 'Çok güzelsin Eva,' dedi. 'Tam beklediğimiz gibi oldun.' Bunu söyleyişinde kederli ve pişman bir hal vardı. Ne planladıklarını bilmediğim için o anda fazla üstünde durmadım tabii ki. Sonra gülümsedi ve üzüntüsü yok oldu. 'Yarın gece senin için bir doğum günü partisi düzenliyorum.' Eva güldü. 'Çok garip bir doğum günü partisiydi. Bayan Ryan'la bir taksiye binip Whitehall'daki o muhteşem resmi binalardan birine gittik. Bizi dört erkek bekliyordu. Ben bir sürü genç olacak sanmıştım ama sadece yaşlı dört adam vardı, en gençleri en azından kırkındaydı. Üçü de muhteşem askeri üniformalar içindeydi. Onca madalya ve yıldız taktıklarına göre çok üst rütbeli olmalıydılar. Dördüncüsü zayıf ve asık suratlı biriydi. Bayan Ryan, onu Bay Brown olarak tanıttı. Gruptaki yegâne sivil oydu. Siyah frak ve yüksek yakalı gömlek giymişti.

"Büyük salonun ortasındaki yuvarlak masaya oturduk, tavandan muhteşem bir avize sarkıyordu. Lambri yapılmış duvarlara savaş sahnelerini anlatan tablolar asılmıştı, bir tanesinde Nelson, Trafalgar'da *Victory*'nin güvertesinde ölüyordu, birinde de Wellington ve subayları Quatre Bras'ta Napolyon süvarilerinin hücumunu izlemekteydi. Bir orkestra vardı ve subaylar sırayla beni dansa kaldırdılar. Bunu yaparken de sınavdaymışım gibi sorular soruyorlardı.

"Ne yediğimi hatırlamıyorum bile, çünkü gerginlikten iştahım kaçmıştı. Bir görevli kadehime şampanya koydu ama Bayan Ryan, beni uyarmıştı ve elimi dahi sürmedim. Yemeğin sonunda dört adam duyamadığım bir şeyler konuştular, sonra anladığım kadarıyla mutabık kaldılar. Hepsi de halinden çok memnun görünüyordu. Yemek, Bay Brown'ın görev ve fedakârlık üstüne konuşma yapmasıyla sona erdi. Doğum günü partim bitmişti.

"İki gün sonra Bay Brown'la tekrar karşılaştım, bu sefer koşullar daha sadeydi. Whitehall'un başka bir yerinde, dosyalarla dolu köhne bir ofisteydik. Nazik ve babacandı. Çok özel bir göreve seçilme ayrıcalığı kazandığımı söyledi, görevim sevgili Britanya'mızın güvenliği ve refahı için hayati bir önem taşıyordu. Kıtanın üzerinde savaş bulutlarının toplandığını ve yakında ulusumuzun alevler arasında kalacağını anlattı. Bütün bunların benimle ne ilgisi olduğunu anlayamıyordum ve Otto von Meerbach'tan söz edene kadar, yaptığı konuşma içimi daraltmıştı. Onun adını duyunca aniden canlandım. Bana kral ve imparatorluk için unutulmaz bir hizmette bulunma fırsatım olduğunu söyledi, aynı zamanda babamın intikamını alacaktım. Tek yapmam gereken adamın ağzından Britanya'nın askeri çıkarları açısından hayati bilgileri koparmaktı."

Tekrar güldü ama bu sefer gerçekten neşeliydi. "Düşünebiliyor musun Porsuk? O kadar saf ve masumdum ki adamın sırlarını bana niye anlatacağı hakkında en küçük bir fikrim bile yoktu. Bunu hemen Bay Brown'a söyledim o da esrarengiz bir şekilde Bayan Ryan'a baktı. "Eğer görevi kabul edersen bunlar sana öğretilecek," dedi.

"Hatırladığım kadarıyla tam olarak, 'Tabi ki kabul edeceğim,' dedim. 'Sadece nasıl yapacağımı bilmek istiyorum.'" Ara verip doğruldu ve Leon'un hayran olduğu o menekşe rengi gözlerinde ciddi bir ifadeyle yüzüne baktı. "Hemen hemen bir yıl sonra benim için biçilmiş kaftan olduğuna inandıkları görev için şeytanla anlaşma yaptım. Graf Otto hakkında, ondan öğrenmeyi umduğum sırlar dışında her şeyi öğrenmiştim. Karısıyla on yıldır ayrı yaşadıklarını, ama her ikisi de inançlı Katolikler olduğu için boşanmadıklarını da biliyordum. Yani onu mahvetmek için tuzağa düşürdüğümde evlenme tehlikesi de olmayacaktı." Yine güldü ama bu sefer neşeli bir gülüş değildi. "Bay Brown'la Bayan Ryan, beni Graf Otto von Meerbach'ın karşısına çıkardılar. Berlin'deki askeri ataşelerden biri Wieskirche'deki av köşküne davet edilmemi sağladı. Görevimi biliyordum ve ben de yaptım." Bunları ifadesiz bir sesle söylemişti ama bir menekşe yaprağındaki çiğ tanesi gibi bir damla yaş gözpınarlarında duruyordu. "Otto von Meerbach'la tanıştığımda bakireydim, kalbim ve beynimse düne kadar hâlâ bakireydi. Sevgili Porsuk, daha fazla ayrıntıya girmek istemiyorum ve girsem de sen duymak istemezsin."

Bir süre sessiz kaldılar, sonra Eva daha fazla kendini tutamadı. "Şimdi hakkımda her şeyi biliyorsun, nefret ediyor musun benden?"

Leon'un sesi çıkmayınca Eva'nın ifadesi sertleşti. Leon iki eliyle genç kadının yüzünü avuçladı ve söylediklerinin doğruluğunu anlasın diye gözlerinin içine baktı. "Ne yaptığın, ne de yapacağın hiçbir şey senden nefret etmemi sağlayamaz. Beni ruhuna kabul ettin ve ben orada sadece iyilik ve güzellik gördüm. Üstelik bana bakarken de bir azize bakmadığını hep hatırlaman lazım. İkimizin de asker olduğunu sen söylemiştin. Ben de görev adına bir sürü insan öldürdüm ve senin gibi ben de utanç duyduğum başka bir sürü şey yaptım. Bunların hiçbiri önemli değil. Tek önemli olan şimdi birlikte olmamız ve birbirimizi sevmemiz." Başparmağıyla yavaşça gözyaşını sildi.

Sonunda Eva gülümsedi. "Haklısın. Birbirimizi seviyoruz ve birbirimize sahibiz. Önemli olan tek şey bu."

Cenaze alayı tüm Unter den Linden'i kaplamıştı. Başı ta Brandenburg Sarayı'na ulaşırken, kuyruğu bulvarın sonunda gözden kayboluyordu. Yağışlı ve gri bir gündü ve yas tutanlar yolun iki tarafında, on kişi genişliğinde dizilmişti. Kadınların ağlaması dışında sessizdiler. Tek bir trampet ölüm marşını çalıyordu. Alayın başında bir süvari birliği vardı, atlarının nalları yolda şakırdıyor, bellerinden sarkan kılıçlardan soluk bir ışık yansıyordu. Eva yas tutanların ön safındaydı. Uzun siyah deri eldivenler giymiş, başına siyah devekuşu tüylü bir şapka takmıştı. Yüzünün üst kısmını siyah bir tül örtüyordu.

Kayzer II. Wilhelm siyah atını tabutu taşıyan top arabasının önüne geçirdi. Başına alttan altın zincirle tutturulmuş parlak, tepesi sivri bir miğfer takmıştı ve siyah pelerini atının kalçasına kadar iniyordu. Yüzünde perişan bir ifade vardı. Top arabasını güzel siyah atlar çekiyordu. Üzerindeki tabut çok güzeldi ve şeffaf kristalden yapıldığı için Otto von Meerbach'ın naşı rahatça görülebiliyordu. Üzerine Roma imparatorlarının kostümü giydirilmiş, başına defne yapraklarından bir taç oturtulmuştu. Her iki kıllı koca elinde birer *assegai* vardı ve mızraklar göğsünde çapraz duracak şekilde yerleştirilmişti. Dişlerinin arasından da bir Küba purosu çıkıyordu.

Eva sonsuz bir sevinç ve rahatlama duygusu içindeydi. Otto ölmüştü. Kâbus bitmişti ve artık Leon'a gitmekte özgürdü. Kristal tabutunda yatan Otto tek gözünü açıp doğrudan ona göz kırptı ve purosundan bir nefes çekip mükemmel bir daire şeklinde duman üfledi. Eva gülmeye başladı, kendini tutamıyordu ve gümüş çanları andıran kahkahası Unter den Linden'e yayılıyordu.

Kayzer Wilhelm eyerde dönüp ona baktı. Sonra atını ona doğru sürdü ve paylamak üzere eğildi. "Uyan Eva!" dedi. "Uyan, rüya görüyorsun!"

Eva, "Otto öldü," diye cevap verdi. "Artık her şey yoluna girecek. Artık beni bırakacaklar. Özgür olacağım. Her şey bitti artık."

Kayzer, "Uyan sevgilim," diyerek uzanıp omzundan tuttu ve sarstı. Adamın Almanya İmparatoru oluşu ve kendisinin de birkaç kere sarayda ona takdim edilmiş olması böyle samimi davranmak için bahane olamazdı. Eva çok kızmıştı. Ne cüretle ona sevgilim diye hitap ediyordu?

"Ben Leon'un sevgilisiyim, senin değil!" dedi ve doğrulup oturdu. Leon kandili yakmış olduğu için Lonsonyo Dağı'nın eteğindeki kulübe yüzündeki endişeli ifadeyi görebileceği kadar aydınlıktı. Eva, ona da, "Otto öldü," dedi.

"Rüya görüyordun Eva."

"Gördüm onu sevgili Porsuk. Gerçekten ölmüştü." Durup kendi sözlerini düşündü. "Rüyam bir hayalden ibaret olsa da, o hâlâ dışarıda bir yerlerde nefes alıp veriyor olsa da benim için öldü. Artık ondan nefret bile etmiyorum. Seninle sevgiyi tanıdığım için hayatımda nefret ve intikam gibi anlamsız duygulara yer yok artık."

Eva, ona doğru uzandı ve Leon, genç kadına sıkıca sarıldı. "Birlikte bütün bu çirkinliği güzel ve parlak bir şeye dönüştüreceğiz," diye söz verdi.

Eva, "Beni Lusima Ana'yla konuşturmanı istiyorum," diye fısıldadı. "Ondan ilk bahsettiğinde sanki ben de tanıyormuşum gibi bir hisse kapılmıştım. Ruhsal anlamda aramızda bir bağ olduğuna inanıyorum garip bir şekilde. Mutluluğumuzun anahtarı onun elindeymiş gibi geliyor bana."

"Hava yolumuzu görecek kadar aydınlanır aydınlanmaz onu görmeye gideceğiz."

Manyoro ile Loikot, Leon'u dağın bu yüzünden tırmanırken atların zorlanabileceği konusunda uyardılar, o da İsmail'le seyisi atlarla birlikte her zaman kullandıkları yoldan gönderdi.

Onlar gözden kaybolunca Leon, Eva ve iki Masai şelalenin yanından yukarı tırmanmaya başladılar. Her adımda yol biraz daha zorlaşıyordu. Bazı yerlerde dağın yüzüne yapışarak tek tek yürümek zorunda kalıyorlardı ve maruz kaldıkları yükseklik her seferinde biraz daha arttı. Çoğu yerde şelale kayanın arkasında kalıyordu, ama iki kere soluklarını kesen manzaralarla karşılaştılar. Yukarıdan dökülen sular adeta etraflarında gümüşten perdeler oluşturuyor, duyularını köreltiyordu. Kayalık duvar ve ayaklarının altındaki zemin bir yosun tabakasıyla kaplı olduğu için ıslak ve kaygandı. Yukarı doğru ilerlemek giderek daha güç bir hal alıyordu.

Zirvedeki platoya ulaştıklarında öğlen olmuştu. Manyoro'yla Loikot dinlenmek ve biraz enfiye çekmek için kendilerine bir ağaç gölgesi aradılar. Leon da Eva'yı elinden tutup uçurumun kenarına götürdü. Ayaklarını aşağı sarkıtarak yan yana oturdular. Leon oturdukları yerde yumruğu kadar bir taş buldu ve aşağı attı. Taşın kayalık duvara çarpmadan doksan metre inişini merakla izlediler. Taşın suya girerken sıçrattığı azıcık su şelaleden dökülen sular yüzünden güçlükle görülebilmişti. İkisi de konuşmuyordu, çünkü böyle bir ihtişamın ortasında kelimeler anlamsız geliyordu. Sonunda Manyoro seslendi ve istemeye istemeye kalkıp kenardan uzaklaştılar.

Leon, "Lusima Ana'nın *manyatta*'sına ne kadar kaldı?" diye sordu.

Loikot, "Uzak sayılmaz," dedi. "Güneş batmadan orada oluruz."

"Sadece otuz kilometrecik filan." Leon gülümsedi. "Hadi gidelim." İki Masai aşırı büyümüş otların arasından bir yol buldular ve rahat adımlarla yürümeye başladılar. Bir seferlik aceleleri yoktu ve üç erkek Rift Vadisi zemininden çok farklı görünen ortamın tadını çıkarıyordu. Eva ise dağa ilk kez geldiği için manzara ve bitki örtüsü büyüleyici görünüyordu. Yağmur ormanı ağaçlarının yüksek dallarını süsleyen yabani orkidelere bayılmış, altlarından geçerken onlara sataşan Colobus maymunlarının maskaralıklarına gülmekten ölmüştü. Bir keresinde de durup onların varlığıyla huzursuz olan ağır hayvan sürülerinin telaşlı ayak seslerini dinlediler.

Onun sessiz sorusuna Leon, "Bizon," diye cevap verdi. "Bu yükseklerde çok büyük erkekler olur."

Bir noktada derin bir boğaza indiler ve diğer tarafından tırmanınca polo sahası kadar düz ve ağaçsız bir yere ulaştılar. Uçurumun bir tarafı dimdik yüz yirmi metre iniyordu. Açıklığın karşı tarafında da bir çift kırmızımsı antilop vardı. Omuzlarını krem rengi çizgiler süslüyordu ve kulakları kocaman, trompet şeklindeydi. Sivri uçlu boynuzları siyah ve kıvrım kıvrımdı. "Ne kadar güzeller!" Eva heyecanla bağırınca sık fundalıkta tek yaprağı bile oynatmadan ormana kaçtılar. "Neydi onlar?"

Leon, "Bongo," dedi. "Burada yaşayan en nadir ve en çekingen hayvan türümüz."

"Ülkendeki her şeyin ne kadar güzel olduğunu hiç bilmezdim."

"Ne zaman yaptın bu keşfi?" Leon, onun bu coşkusuna güldü.

"Hemen hemen sana âşık olduğumu keşfettiğim sıralarda." Eva da güldü. "Buradan ayrılmayı hiç istemiyorum. Sonsuza kadar burada yaşayabilir miyiz, Porsuk?"

Leon, "Ne güzel bir fikir," dedi ama Eva, onun dikkatinin dağıldığını fark etti.

"Ne oldu?" diye sordu.

"Bu!" Geniş bir kol hareketiyle karşılarındaki düzlüğü gösterdi. Sonra adımlarını sayarak ve bastığı yeri tartarak düzlük boyunca yürümeye başladı. Eva hiçbir yerinde otların Leon'un dizini aşmadığını fark etti. Aniden terlediğini ve yorulduğunu hissetti. Bir ağaç kökü buldu ve şükran duyarak oturdu, bir yandan da bandanasıyla yüzünü siliyordu. Açıklığın diğer başında Leon'la iki Masai hararetli hareretli konuşuyorlardı ve bu alışılmadık düzlüğü tartıştıkları belliydi. Bir süre sonra Leon yanına döndü. Eva, "Ne buldunuz? Altın mı, elmas mı?" diye takıldı.

"Loikot, büyükbabasının zamanında büyük Masai Tanrısı Mkuba Mkuba'nın kızdığını ve kabileye öfkesini göstermek için burayı yıldırımla kelleştirdiğini söylüyor. O zamandan beri ne ağaç olmuş, ne de büyük bitkiler yetişmiş burada."

"Ve sen de buna inandın mı?"

"Tabii ki hayır, ama Loikot inanıyor ve önemli olan da bu."

"Peki sen niye bu kadar heyecanlanıyorsun bu düzlük yüzünden?"

"Çünkü doğal bir iniş pisti Eva. Eğer şu yüksek ağaçların arasından yanlamasına geçirirsem *Arı*'yı tereyağından kıl çeker gibi buraya indirebilirim."

"Bunu neden yapmak isteyesin ki sevgili erkeğim?"

"Uçmanın sevmediğim tarafı her seferinde nereye ineceğini düşünmek. O yüzden karşıma çıkan her düzlüğü kafama not etme alışkanlığı edindim. Hiç ihtiyacım olmayabilir, ama günün birinde ihtiyaç duyacağımı hissediyorum."

"Ama burası dağın tepesi. Araştırmanı biraz fazla genişletmiş olmuyor musun? Buraya inmek için mantıklı bir sebep gösterirsen sana bir öpücük veririm."

"Öpücük ha? Bak şimdi ilgimi çektin." Şapkasını çıkarıp düşünceli bir tavırla kafasını kaşıdı. "Buldum!" diye bağırdı. "Balayımızda şampanyalı bir piknik için seni buraya getirebilirim."

"Gel de öpücüğünü al akıllı çocuk."

Düzlükten ayrılır ayrılmaz yağmur başladı, ama damlalar kan gibi ılık olduğundan sığınacak yer arama zahmetine girmediler. Bir saat sonra, yağmur birdenbire kesildi ve tekrar güneş çıktı. Aynı anda da uzaktan tamtam sesleri duyuldu.

"Ne coşkulu bir ses." Eva kulak kabartmıştı. "Afrika'nın nabzı sanki. Ama ne diye günün ortasında tamtam çalıyorlar?"

Leon hemen Manyoro ile konuştu ve sonra ona dönüp, "Bizi karşılıyorlarmış," dedi.

"Ama geleceğimizi kimse bilmiyordu ki."

"Lusima bilir."

Eva, "Bu da senin küçük şakalarından biri mi?" diye sordu.

"Hayır, bu sefer değil. Bizim gelişimizi hep önceden bilir, hatta bazen daha bizim bile haberimiz yokken bilir."

Tamtam sesleri onları heyecanlandırdı ve adımlarını iyice açtılar. Ormandan çıkıp odun isinin ve sığır ağıllarının kokusunu aldıklarında güneş alçalmış ve sisli bir kırmızı renge bürünmüştü. Sonra insan ve sığır seslerini duydular ve nihayet *manyatta*'nın yuvarlak damlarını ve kırmızı *shuka*'lara bürünmüş bir grup insanın hoş geldin şarkısını söyleyerek onlara doğru geldiğini gördüler.

Grup onları içine aldı ve gülerek, şarkı söyleyerek köye götürdü. Ortadaki büyük kulübeye yaklaşırken herkes geri çekildi ve Leon'la Eva'yı kulübenin önünde yalnız bıraktılar.

Eva huşu içinde fısıldayarak, "Burada mı oturuyor?" diye sordu.

"Evet." Leon kolunu sahiplenircesine tuttu. "Bizi bir süre merakta bıraktıktan sonra girişini yapacak. Lusima biraz dramatik olmaktan hoşlanır."

O konuşurken Lusima büyük kulübenin kapısında belirdi ve Eva şaşkınlıkla irkildi. "Ne kadar da genç ve güzelmiş. Ben, onu çirkin ihtiyar bir cadı sanıyordum."

Leon, "Seni görüyorum Ana," diye selam verdi.

Lusima da, "Ben de seni görüyorum M'bogo, oğlum," dedi ama o büyüleyici kara gözlerini Eva'ya dikmişti. Sonra mağrur bir zarafetle ona döndü. Gelip karşısında durduğunda Eva yerinden kıpırdamadı. Lusima, "Gözlerin bir çiçeğin renginde," dedi. "Sana Maua, yani çiçek diyeceğim." Sonra

Leon'a baktı. "Evet M'bogo." Başını salladı. "Sana söz ettiğim kadın buydu. Onu bulmuşsun. O senin kadının. Şimdi ona söylediklerimi anlat."

Çeviriyi dinleyince Eva'nın yüzü sevinçle aydınlandı. "Lütfen Porsuk, ona duasını almak için geldiğimi söyle."

Leon Eva'nın söylediklerini çevirdi.

Lusima, "Dualarımı alacaksın," diye söz verdi. "Ama çocuğum görüyorum ki annen yok. Kötü bir hastalık yüzünden ölmüş."

Eva'nın yüzündeki tebessüm soldu. "Annemi de mi biliyor?" diye fısıldadı. "Şimdi onun hakkında anlattığın her şeye inanıyorum."

Lusima iki elini uzatıp Eva'nın yüzünü yumuşak pembe avuçlarının arasına aldı. "M'bogo, benim oğlumdur, sen de kızım olacaksın. Atalarına kavuşmuş olan annenin yerini de ben alacağım. Şimdi sana bir annenin hayır duasını sunuyorum. Uzun zamandır yoksun olduğun mutluluğu bulmanı diliyorum."

"Benim annemsin Lusima Ana. Ben de kızın olarak seni öpebilir miyim?"

Lusima'nın tebessümü öyle sevgi doluydu ki adeta parlıyordu. "Kabilemizde gelenek olmadığı halde, *mzungu*'ların saygı ve sevgilerini bu yolla gösterdiğini biliyorum. Evet kızım, beni öpebilirsin, ben de seni öpeceğim." Eva adeta utanarak kadını kucakladı. Lusima, "Çiçek gibi kokuyorsun," dedi.

Leon'un çevirisinden sonra Eva, "Sen de yağmurdan sonraki toprak kokusu gibi kokuyorsun," diye cevap verdi.

Lusima, "Ruhun şiir dolu," dedi. "Ama derinliklerinde incinmiş ve yorulmuşsun. Senin için yaptığımız kulübede dinlenmelisin. Belki burada, Lonsonyo Dağı'nda yaraların iyileşir ve yine eski gücünü kazanırsın."

Lusima'nın yardımcılarının onları götürdüğü kulübe yeni yapılmıştı. İçeriyi kutsamak için yakılan tütsülerin kokusu hâlâ geçmemişti, bir de yere döşenmiş olan taze inek gübresi kokuyordu. Çanaklar dolusu tavuk güveci, ızgara sebze ve manyok yemeği onları bekliyordu ve yemeklerini yedikten sonra hizmetkârlar hayvan postlarıyla yan yana konmuş tahta oyma yastıklardan oluşan yataklarına götürdüler. Dışarı çıkıp onları baş başa bırakmadan önce, "Burada ilk sizler uyuyacaksınız. Gelişinize duyduğumuz sevinç sizin de sevinciniz olsun," dediler.

Sabahleyin kızlar gelip Eva'yı aldılar ve nehrin kadınlara ayrılmış gölcüğüne götürdüler. Yıkandıktan sonra saçını çiçeklerle ördüler. Sonra yepyeni bir *shuka* getirip kirlenmiş, yırtılmış eski giysilerini aldılar. Gülüşüp güzel bir çocukmuşçasına okşayarak *shuka*'yı nasıl Romalıların togaları gibi saracağını öğrettiler. Sonra çıplak ayakla altında Lusima'nın beklediği büyük konsey ağacına götürdüler. Leon çoktan gelmişti ve üçü ekşi sütle sorghum(*) pekmezinden oluşan kahvaltıyı paylaştılar.

Karınlarını doyurduktan sonra sabahın kalanını konuşarak geçirdiler. Eva ile Lusima yan yana oturmuş birbirlerinin yüzüne, gözlerine bakıyor, arada bir el ele tutuşuyorlardı. Öyle büyük bir uyum içindeydiler ki neredeyse Leon'un çevirileri gereksiz kalıyordu, onlar konuşmanın üstünde bir anlayışla birbirlerini anlıyorlardı.

Lusima bir aşamada, "Uzun zaman yalnız kalmışsın," dedi.

Eva, "Evet, çok uzun zamandır yalnızdım," dedikten sonra Leon'a göz attı ve uzanıp eline dokundu. "Ama artık değilim."

"Yalnızlık, suyun kayaları aşındırması gibi ruhu aşındırır." Lusima başını salladı.

"Bir daha yalnız kalacak mıyım Ana?"

"Geleceğin neler vaat ettiğini mi öğrenmek istiyorsun Maua?"

(*) Süpürge darısı şerbeti.

Eva başını salladı. "Oğlun M'bogo, bizi nelerin beklediğini görebileceğini söylüyor."

"O bir erkek ve erkekler her şeyi basite indirgemeye çalışır. Gelecek basit değildir. Yukarı bak!" Eva itaatkâr bir tavırla başını kaldırıp gökyüzüne baktı. "Ne görüyorsun çiçeğim?"

"Bulutları görüyorum."

"Biçimleri ve renkleri nasıl?"

"Bir sürü renk ve biçimleri var, ben onlara bakarken bile değişiyorlar."

"Gelecek de böyledir. Birçok biçimi vardır ve yaşamlarımızın rüzgârları estikçe değişir."

"Yani M'bogo ile beni bekleyenleri söyleyemezsin, öyle mi?" Eva'nın hayal kırıklığı öyle çocuksuydu ki Lusima güldü.

"Dediğim bu değil. Bazen karanlık perdeler aralanır ve gerisinde yatanı şöyle bir görebilirim ama hepsini göremem."

"Lütfen geleceğime bak Ana. Orada mutluluk görüyorsan söyle bana."

"Henüz çok kısa bir süredir birlikteyiz. Ve senin hakkında çok az şey biliyorum. Ruhunun derinliklerine biraz daha baktığım zaman geleceğini daha iyi görebilirim."

"Ah Ana! Bu beni öyle mutlu eder ki."

"Öyle mi düşünüyorsun. Belki seni o kadar çok severim ki gördüklerimi söylemek istemem."

"Anlamadım."

"Gelecek her zaman kibar davranmaz. Seni üzecek ve mutsuz edecek şeyler görürsem de duymak istiyor musun?"

"Bütün istediğim M'bogo ile sonsuza kadar mutlu yaşayacağımı duymak."

"Ya öyle olmayacak dersem ne yaparsın?"

"Ölürüm," dedi Eva.

"Ölmeni istemiyorum. Çok tatlı ve iyisin. O yüzden eğer gelecekte ayrılacağınızı görürsem ölmeyesin diye sana yalan mı söyleyeyim?"

"Çok zorlaştırıyorsun Ana."

"Hayat zordur. Hiçbir şey kesin değildir. Bize bağışlanan günleri alıp onlarla elimizden geleni yapmak zorundayız." Eva'nın yüzünü inceleyince çektiği acıyı gördü ve acıdı. "Şu kadarını söyleyebilirim. Birlikte olduğunuz süre boyunca sen ve M'bogo gerçek mutluluğu tadacaksınız, çünkü kalpleriniz şu iki bitki gibi iç içe geçmiş." Elini konsey ağacını yılan gibi saran eski asmanın üstüne koydu. "Görüyor musun asma nasıl ağacın bir parçası haline gelmiş? Bak birbirlerine nasıl destek oluyorlar. Onları ayıramazsın. İşte ikinizin durumu da bu."

"Önümüzde bizi bekleyen tehlikeler olduğunu görürsen bizi uyarmayacak mısın? Sana yalvarıyorum Ana."

Lusima omuz silkti. "Belki, eğer bilmenin işinize yarayacağını düşünürsem. Ama artık güneş tepeye çıktı. Konuşarak sabahı bitirdik. Şimdi gidin çocuklarım. Günün kalanını yaşayın ve birlikte mutlu olun. Yarın yine konuşuruz."

Böylece günler geçti ve Lusima'nın yumuşak rehberliği sayesinde Eva'nın korkuları ve kuşkuları giderek azaldı, daha önce varlığını bile hiç bilmediği bir mutluluk ve gönül rahatlığı içine girdi.

Leon'a, "Buraya gelmemiz gerektiğini biliyordum, ama gelene kadar sebebini bilmiyordum. Lonsonyo Dağı'nda geçirdiğimiz bu günler elmaslardan daha kıymetli. Ne olursa olsun sonsuza kadar bizimle kalacaklar," diyordu.

Köye gelişlerinden beş gün sonra İsmail güneydeki yoldan atları getirdi. Dağın eteğini dolaşması gerekmişti. Eva'yı çıplak ayaklı ve *shuka*'ya bürünmüş görünce dehşete düştü. Fransızca, "Sizin gibi gururlu ve güzel bir hanım bu kâfir vahşiler gibi giyinmemeli," diye azarladı.

Eva, "Bu *shuka* çok rahat, hem zaten giysilerim parçalanmıştı," dedi.

İsmail üzüntüyle baktı. "En azından size medeni yemekler hazırlayabileceğim, şu Masai'lerin yediği pisliklerden değil."

Her şey o kadar güzeldi ki zamanı tamamen unutmuşlardı. İki çocuk gibi el ele verip, Lonsonyo Dağı'nın büyüleyici ormanlarında dolaşıyorlardı. Karşılarına çıkan her küçük güzellik -rengârenk tüyleri olan minik bir kuş ya da yürürken kabuğu çıtırdayan canavar gibi boynuzlu bir böcek- dışarıdaki dünyanın bütün dertlerini unutturuyordu. Leon, onu ilk tanıdığında Eva, doğal halini bir ciddiyet maskesinin ardında gizliyordu. Nadiren gülümsüyor, hemen hemen hiç kahkaha atmıyordu. Fakat artık ikisi baş başa ve dağda güvende oldukları için maskesini çıkarmış ve gerçek halinin parlamasına izin vermişti. Leon'a göre kahkaha ve tebessümler onun güzelliğini yüz katına çıkarıyordu. Mümkün olan her anı birlikte geçiriyorlardı. En kısa ayrılık bile ikisine de acı veriyordu. Her sabah Eva'nın ilk aklına gelen şey Otto'nun öldüğü ve nereye gizlendiklerini kimsenin bilmiyor oluşuydu. Güvendeyiz ve kimse aramıza giremez.

İsmail'in dikkatle harcadığı kahve stoku tükendiğinde bile trajik haberi gülerek karşıladılar. Leon, "Bu senin hatan değil ki peygamberin sevgili kulu," diye teselli etmeye çalıştı. "Altın Kitap'a senin günahın olarak geçmeyecektir." Ama İsmail üzüntüyle söylenerek uzaklaştı.

Köy halkı da onları şefkatle izliyor, yanlarından geçerken gülümsüyor, Eva'ya şekerkamışı çubukları, yabani orkide demetleri, güzel tüylerden yapılmış yelpazeler veya kendi yaptıkları bilezikleri hediye ediyorlardı. Lusima da aşklarından onlar kadar zevk alıyordu. Her gün saatlerce onlarla oturuyor, bilgeliğini ve yaşam anlayışını paylaşıyordu.

"Küçük yağmurlar" başladı ve geceleri kulübede birbirlerine sarılarak yatıp, kulübelerinin damını döven damlaları dinleyerek, fısıldaşıp gülüşerek, aşklarının sıcaklığı ve güveni içinde vakit geçirdiler. Sonra yağmurlar kesildi ve Leon şelalenin yanından tırmanışlarının üstünden neredeyse iki ay geçtiğini fark etti. Bunu Eva'ya söyleyince Eva rahat bir tavırla gülümsedi. "Niye bana söylemek zahmetine girdin ki Porsuk? Biz birlikte oldukça zamanın hiçbir anlamı yok. Bugün ne yapıyoruz?"

"Loikot, Sheba Şelaleleri'nin yakınlarında bir kartal yuvası biliyormuş. Bu muhteşem kuşlar her zaman orada yuva yaparmış. Bu mevsimde yuvada yavrular olur. Gidip o minikleri görmek ister misin?"

"Ah evet, lütfen Porsuk!" Doğum günü partisi sözü almış bir çocuk gibi ellerini çırptı. "Dönüşte de gidip o sihirli sularda bir daha yüzeriz."

"O zaman yolumuz çok uzar. Birkaç gün dönmememiz gerekir."

"Dünyanın bütün zamanları bizim."

Dağın en geniş yerinden geçmeleri üç gün sürdü, çünkü derin ve girintili çıkıntılı boğazlar vardı, orman sıktı ve her köşede karşılarına yeni bir güzellik çıkıyordu. Fakat sonunda yalçın kayalıkların kenarına oturdular ve tepelerinde asil bir şekilde uçan kartal çiftini izlediler. Birbirlerine ve yuvada bekleyen yavrularına seslenerek daireler çiziyorlar, yavrularını beslemek için pençelerinde taşıdıkları yaban farelerini, dağ tavşanlarını, maymunları ve av hayvanlarını getiriyorlardı.

Ancak yuva oturdukları yerden görünmüyordu. Eva hayal kırıklığına uğramıştı. "Yavruları görmek istiyordum. Loikot mutlaka yuvanın da görülebildiği bir yer biliyordur. Bir sorar mısın, Porsuk?" Sabırsızlıkla oturup, hiç anlamadığı Maa dilinde geçen uzun konuşmayı dinledi.

Sonunda Leon başını sallayarak ona döndü. "Yamaçtan inen bir yol varmış, ama zor ve tehlikeli olduğunu söylüyor."

"Bize göstermesini söyle. Bunca yolu yavruları göstereceğim diye getirdi ve sözünü tutmasını istiyorum." Loikot uçurumun kenarından kayadaki bir çatlağa götürdü. *Assegai*'sini kenara bırakıp içine girdi. Giriş ancak Leon'un daha geniş olan bedeninin sığacağı kadardı. O da Holland'ı bir ağaç gövdesine dayadı ve girişten içeri süzüldü. Eva *shuka*'sının eteklerini uzun bacaklarının arasına aldı ve o da peşinden gitti.

Yarı karanlıkta hemen hemen dikey doğal bir bacadan indiler, yüzeyden yansıyan zayıf ışıkta ancak elleriyle ayaklarını görebiliyorlardı. Sonunda, yukarıdan ışık gelmeye başladı ve sürünerek dar bir yarıktan çıktılar. Baca, onları sarkan payandaların altından dışarı çıkarmıştı. Ancak hâlâ görünürde yuva yoktu. Fakat, kartallar ise onları yuvalarının üstündeki çıkıntıda olduklarını görmüşler, korku ve öfke dolu çığlıklar atarak daha yakından uçmaya, kızgın sarı gözlerle onlara bakmaya başlamışlardı.

Bulundukları çıkıntı dar ve ince olduğu için sırtlarını kayaya vererek aniden genişlediği yere kadar ilerlediler. Orada Loikot yüzüstü yere yatıp aşağı baktı ve sonra Eva'ya sırıtıp yanına gelmesini işaret etti. Eva dikkatle emekleyerek Loikot'un yanına gelip aşağı baktı. Keyifle, "Oradalar!" diye bağırdı. "Ah Porsuk, gelip sen de baksana şunlara."

Leon da yanına uzanıp bir kolunu omzuna attı. Yuva tam onların hizasında, on metre aşağıdaydı. Kayadaki bir yarığa sıkıştırılmış kuru dallardan oluşan büyük bir platformu andırıyordu. Tepesi çanak şeklindeydi ve yeşil yapraklar, yosunlar dizilmişti. Çukur kısmın ortasında iki yavru kartal titrek bacaklarının üstünde duruyorlardı. O kadar küçüktüler ki başlarını güçlükle dik tutuyorlardı. Koca gagaları tüylü gövdelerine göre çok orantısızdı ve içinden çıktıkları yumurtaların kabukları daha uçlarında duruyordu.

"Çok çirkinler, ama aynı zamanda çok da sevimliler. Şu kocaman süt gibi gözlerine bak." Eva güldü, sonra başlarının üstünde çırpılan dev kanatların sesini duyunca korkuyla büzüldü. Önce dişi, sonra da erkek kartal öfkeyle haykırarak, pençelerini uzatmış, yuvalarını ve yavrularını korumaya hazır bir şekilde onlara doğru dalmıştı.

Leon, "Başını kaldırma," diye uyardı. "Yoksa o pençeler koparıverir. Kıpırdama. Öylece dur." Yattıkları yere iyice yapıştılar. Sonunda kartalların öfkesi yatışır gibi oldu, yavrularına karşı doğrudan bir tehdit bulunmadığını anlamışlardı. Nihayet dişi yuvaya kondu ve yavrularını kanatlarının altına aldı. Yukarıda Leon ve Eva sabırla kıpırdamadan beklediler ve kuşlar biraz daha rahatladı. Sonunda yukarıdaki insanlara aldırmayıp normal davranışlarına döndüler.

Böyle muhteşem vahşi hayvanlara bu kadar yakından bakmak ve onların yavrularını beslemelerini izlemek inanılmaz bir deneyimdi. Leon'la Eva günün kalanını da orada geçirdiler. Sonunda güneş batmaya başlayıp gitme zamanı gelince de gönülsüzce ayrıldılar. Loikot'la Manyoro'nun hazırladığı eğreti barınakta tek bir battaniyenin altına girip yattılar.

Eva, "Bugünü hiç unutmayacağım," diye fısıldadı.

"Birlikte geçirdiğimiz her gün unutulmaz oluyor."

"Beni hiçbir zaman Afrika dışına götürme, olur mu?"

Leon, "Burası bizim yuvamız," diye doğruladı.

"O minik komik yavruları izlerken içimde garip bir his belirdi."

Leon, "Kadınların ortak noktası, analık duygusu deniyor," diye dalga geçti.

"Kendi çocuklarımızda olacak değil mi, Porsuk?"

"Şimdi mi demek istiyorsun?"

"Eh, orasını bilemem, ama belki de denemeye başlayabiliriz. Ne dersin?"

"Bence sen tatlı bir dâhisin kadın. Hadi boş boş konuşmakla vakit harcamayalım."

Lusima'nın köyüne dönüşleri mutlu bir eve dönüş oldu. Çoban çocuklar geldiklerini uzaktan görüp haberi bağırarak köylülere ilettiler, onlar da şarkılar söyleyerek, gülerek karşıladılar. Lusima da konsey ağacının altında onları bekliyordu. Eva'ya sarıldi ve sağ yanına oturttu. Leon da diğer tarafındaki tabureye oturdu ve içgüdüsel anlaşmalarının yetmediği yerlerde çeviri yaptı. Aniden bir cümlenin orta yerinde durup havayı kokladı. "Bu harika koku da nedir?" diye ortaya sordu.

Eva, "Kahve!" diye bağırdı. İsmail elinde dumanları tüten iki kupayla onlara doğru geliyordu. Suratında zafer kazanmış bir sırıtış vardı. Eva,

Fransızca, "Sen bir mucizeler insanısın," dedi. "Hayatıma mükemmel demek için tek eksiğim buydu."

"O güzel elbiselerinizden, ayakkabılarınızdan da getirdim, yani artık bu kâfir kıyafetlerini giymek zorunda değilsiniz." Tiksindiğini ve hoşnutsuzluğunu belli ederek yüzünü buruşturmuş ve *shuka'*sını göstermişti.

"İsmail!" Leon'un sesi korkudan gergin çıkıyordu. "Biz yokken Percy Kampı'na gidip kahveyle Hanım Sahip'in kıyafetlerini mi aldın?"

"*Ndio* Bwana." İsmail gururla gülümsüyordu. "Katırımı bayağı zorladım ve dört günde gidip geldim."

"Seni gören oldu mu? Kampta başka kim vardı?"

"Sadece Bwana Hennie."

"Ona nerede olduğumuzu söyledin mi?"

"Evet, sorunca söyledim." Leon'un ifadesini görünce İsmail'in de keyfi kaçtı. "Yanlış bir şey mi yaptım efendi?"

Leon öfkesini ve içini saran korkuyu bastırmak için başını diğer yana çevirdi. Tekrar İsmail'e döndüğünde yüzü ifadesizdi. "Sen doğru olduğuna inandığın şeyi yaptın İsmail. Kahven de her zamanki gibi nefis olmuş." Ama İsmail, onu bu sözlere kanmayacak kadar iyi tanıyordu. Nasıl bir hata yaptığını anlamamıştı, ama kulübesine giderken suçluluk duygusuyla kıvranıyordu.

Eva, Leon'u izliyordu. Onun da yüzü solmuş, elleri kucağında kenetlenmişti. "Korkunç bir şey oldu değil mi?" Sesi sakin ve yumuşaktı ama gözleri endişeden koyulaşmıştı.

Leon ciddi bir ifadeyle, "Artık burada kalamayız," dedi ve güneşin batmakta olduğu batı istikametine baktı. "Bir an önce gitmemiz gerek, ama vakit geç oldu. Dağdan karanlıkta inmek istemiyorum. Sabah ilk ışıklarla gideriz."

"Ne oldu Porsuk?" Eva uzanıp elini tuttu.

"Biz kartal yuvasındayken İsmail eşyaları almak için Percy Kampı'na gitmiş. Hennie du Rand oradaymış ve İsmail bizim nerede olduğumuzu anlatmış."

"Bu o kadar kötü mü? Hennie dost değil mi? Bizi incitecek bir şey yapmaz o."

"Kasten yapmaz, ama bizim içinde bulunduğumuz hassas durumun farkında değil ki. Riske giremeyiz Eva. Graf Otto hayattaysa peşine düşecektir."

"O öldü sevgilim."

"Rüyanda öyle gördün ama kesin bilmiyoruz. Ayrıca bir de Whitehall'daki patronlar var. Yerini bulurlarsa seni bırakmazlar. Kaçmak zorundayız."

"Nereye?"

"Uçaklardan birine ulaşabilirsek Alman sınırından Darüsselam'a geçeriz ve oradan da bir gemiyle Güney Afrika veya Avustralya'ya gideriz. Sonra da isimlerimizi değiştirip ortadan kayboluruz."

"Hiç paramız yok ki."

"Percy, bana yeterince para bıraktı. Benimle gelecek misin?"

Eva hiç duraksamadan, "Tabii ki," dedi. "Şu andan itibaren sen nereye gidersen ben de oraya gideceğim."

Leon, ona gülümsedi ve sadece, "Aşkım... benim canım aşkım," dedi. Sonra Lusima'ya döndü. "Ana biz gitmek zorundayız."

Kadın hemen, "Evet," diye kabul etti. "Bunu görmüştüm ama size söyleyemedim."

Eva bir şekilde Lusima'nın söylediklerini anlamıştı. "Perdenin ötesinden bir şeyler mi gördün Ana?" diye hevesle sordu.

Lusima başını sallayınca da, "Bize de söyleyecek misin gördüklerini?" dedi.

"Fazla bir şey değildi, onun da çok azını duymak istersin çiçeğim."

"Yine de duymak istiyorum. Kurtuluşumuz olacak bir şey de söyleyebilirsin."

Lusima içini çekti. "Nasıl istersen, ama seni uyardım." Ellerini çırptı ve kızlar koşup önünde diz çöktüler. Lusima onlara birtakım emirler verince de hemen kulübesine koştular. Döndüklerinde Lusima'nın kehanet için kullandığı eşyaları taşıyorlardı. Güneş batmış ve alacakaranlık da yerini gece karanlığına bırakmaya başlamıştı. Kızlar eşyaları Lusima'nın eline yakın bir yere bıraktılar, sonra da küçük bir ateş yaktılar. Lusima küçük deri keselerden birini açıp bir avuç kurutulmuş bitki aldı. Birtakım dualar mırıldanarak avucundakileri ateşe attı, bitkiler kötü bir koku bırakarak pof, diye yanmıştı. Kızlardan biri kil bir çanak getirip ateşin üstüne koydu. Çanak ağzına kadar alevleri ayna gibi yansıtan bir sıvıyla doluydu.

"Gelip yanıma oturun." Eva ile Leon'u çağırmıştı. Üçü çanağın etrafına halka şeklinde oturdular. Lusima boynuzdan yapılmış küçük bir tası sıvıya daldırdı ve sırayla ikisine de ikram etti. Onlar acı çaydan birer yudum aldıktan sonra kalanı da kendisi içti.

"Aynaya bakın," deyince gözlerini çanağa diktiler. Yüzeyde kendi görüntüleri dalgalanıyordu, ama ikisi de ondan başka bir şey görmüyordu. Lusima yumuşak bir sesle ilahiler söylerken çanaktaki sıvı kabarmaya, kaynamaya başladı ve çanaktan yükselen buharlara bakan gözlerinde pırıltılar oluştu. Sonunda konuşmaya başladığında sesi acı ve gergindi. "İki düşman var, biri kadın ve biri erkek. Sizi birbirinize bağlayan aşk zincirini kırmak istiyorlar."

Eva küçük bir üzüntü çığlığı attı ama sonra sessiz kaldı.

"Kadının saçında gümüş bir bayrak görüyorum."

Leon bunu tercüme edince Eva, "Londra'daki Bayan Ryan," diye fısıldadı. "Saçının ön kısmında gümüş rengi perçemi var."

"Adamın sadece tek eli var."

Çanağın üstünden bakıştılar ama Leon başını salladı. "Kim olabileceğini bilmiyorum. Söylesene Ana bu iki düşman istediklerini elde ediyorlar mı?"

Lusima acı çekercesine inledi. "Daha fazlasını görmüyorum. Gökyüzü duman ve ateş dolu. Tüm dünya yanıyor. Çok açık değil, ama alevlerin üstünde size aşk umudu ve şans getirecek büyük gri bir balık görüyorum."

Leon, "Ne balığı Ana?" diye sordu.

Eva da, "Lütfen gördüğünüz şeyi tarif edin," diye yalvardı ama Lusima'nın gözleri berraklaşmış ve yeniden odaklanmıştı.

"Daha fazlası yok," dedi. "Çok azını duymak isteyeceğini söylemiştim çiçeğim." Uzanıp çanağı ters çevirdi, içindekileri ateşe döktü ve ateş tıslayıp dumanlar çıkararak söndü. "Gidip dinlenin artık. Uzun, çok uzun bir süre için Lonsonyo Dağı'nda geçireceğiniz son gece olabilir bu."

Kulübelerine gitmeden önce Leon, iki Masai ile İsmail'e atları eyerlemelerini ve ertesi sabah şafakla yola çıkmak için gereken tüm hazırlıkları yapmalarını söyledi.

Gece sakin ve sessizdi, ama ancak kesik kesik uyuyabildiler. Sıçrayarak uyandıkları anda gayri ihtiyari birbirlerine uzanıyor, adını koyamadıkları bir korkuyla sımsıkı sarılıyorlardı. Etrafı çevreleyen ormandaki kuşlar şafağı selamlamaya başlayıp, ilk ışıklar duvarlardan süzülünce, daha önce hiç tatmadıkları bir tutkuyla seviştiler; öyle bir tutku fırtınasıydı ki zirvesine ulaştığında birbirlerinin kollarında titreyerek kalmışlardı, çıplak bedenleri ter içindeydi, kalpleri deli gibi atıyordu. Sonunda ayrıldılar ve Leon, "Gitme zamanı geldi sevgilim, giyin artık," dedi.

Kendisi de kalkıp giyindi ve kapıyı açtı. Dışarı çıkıp bir süre öylece durdu. Orman karanlık görünüyordu. Sabah yıldızı hâlâ gökyüzünde parlıyordu. Gün daha tam ağarmamıştı. Eva da arkasından yaklaşıp sarıldı. Adamları gördüklerinde Leon bir şeyler söylemek üzereydi. Bir an için onları atları getiren kendi adamları sandı.

Ormanın kenarında karanlıkta beklemişlerdi, ama şimdi onlara doğru geliyorlardı ve biraz daha yaklaşınca yedi kişi olduklarını gördü. Beş *askari* ve iki subay vardı. Hepsi yumuşak şapka takmış, talim kıyafeti giymişti. *Askari*'lerin tüfekleri omuzlarında asılıydı, subaylarınsa sadece bellerindeki tabancaları vardı. Grubun lideri öne çıktı ama Leon'a aldırmayıp Eva'yı selamladı.

"Bizi nasıl buldunuz Penrod Amca? Percy Kampı'nda İsmail'i izleyen gözcünüz mü vardı?"

Penrod başını salladı. "Tabii ki," Tekrar Eva'ya döndü. "Günaydın Eva canım. Sana Bayan Ryan ve Bay Brown'dan mesaj getirdim."

Eva, "Hayır!" dedi. "Otto öldü ve her şey bitti."

"Graf Otto von Meerbach ölmedi. Aslında neredeyse ölüyordu. Doktor kangren olan sol kolunu kesti, diğer yaralarını da dikti. Graf uzun bir süre tamamen bilinçsiz kaldı... aslında, çok yakın zamana kadar da öyleydi. Her şeye rağmen granit kadar sağlam ve fil derisi kadar dayanıklı. Hâlâ çok güçsüz olmasına rağmen hep seni soruyor ve ben de yokluğunu açıklamak için bir hikâye uydurmak zorunda kaldım. Bence seni gerçekten seviyor ve şimdi görevini tamamlaman için seni ona götüreceğim."

Leon aralarına girdi. "Geri dönmeyecek. Birbirimizi seviyoruz ve döner dönmez evleneceğiz."

"Teğmen Courtney, komutanın olduğumu hatırlatabilir miyim? Bana efendim veya general diye hitap etmen gerekmez miydi? Şimdi hemen kenara çekil."

"Bunu yapamam efendim. Onu geri götürmenize izin veremem." Leon inatla omuzlarını dikti.

Penrod omzunun üstünden, "Yüzbaşı!" diye bağırdı ve genç subay çakı gibi öne çıktı.

"Komutanım?" dedi. Leon bu sesi tanımıştı ama o karmaşada onun Kurbağa Snell'in yardakçısı Eddy Roberts olduğunu ancak fark edebilmişti.

"Bu adamı tutuklayın." Penrod'un yüzü kaskatıydı. "Direnirse dizkapağından vurun."

"Komutanım! Başüstüne komutanım!" Eddy gayet mutluydu. Webley'ini kılıfından çıkardı ve Leon'un üstüne yürüdü. Eddy geri çekilip emniyeti açtı ve silahı kaldırdı, ama daha o nişan alamadan Eva kollarını açarak ikisinin arasına atıldı. Şimdi tabanca onun göğsüne nişan almış durumdaydı.

Penrod, "Ateş etme!" diye bağırdı. "Tanrı aşkına, sakın kadına zarar verme." Eddy kafası karışmış bir şekilde silahını indirdi.

Eva hemen Penrod'a dönmüştü. "Benden ne istiyorsunuz general?" Rengi bembeyazdı ama sesi soğuk ve sakindi.

"Sadece birkaç dakikanı canım." Penrod, Eva'nın kolundan tutup götürmek istedi ama Leon yine araya girdi.

"Onunla gitme Eva. Burada konuşsun ne konuşacaksa."

Eva dönüp ona baktı; Leon gözlerinin perdelendiğini ve o kıvılcımın sönmüş olduğunu gördü. Karnına bir sancı saplandı: yine kimsenin, onu seven adamın bile ona ulaşamayacağı o yere gitmişti. "Eva!" diye yalvardı. "Yanımda kal sevgilim."

Eva, onu duyduğunu belli edecek bir şey yapmadı ve Penrod'un kendisini çekip götürmesine izin verdi. Penrod, genç kadını Leon'un onları duyamayacağı şekilde yamacın dibine götürdü. Onun önünde durarak yolunu kesiyordu. Eva'nın iki katı cüssesi vardı. Ciddi bir şekilde sözlerini dinleyen Eva, onun yanında çocuk gibi kalıyordu. İki elini Eva'nın omuzlarına koydu ve hafifçe sıktı, yüz ifadesi çok ciddiydi. Leon kendini zor tutuyordu. Onu korumak ve savunmak istiyordu. Sonsuza kadar kollarının arasında tutmak istiyordu.

Eddy Roberts kışkırtıcı bir sesle, "Evet Courtney, hadi yapsana!" dedi. "Bana bir bahane yarat. Geçen sefer elimden kurtulmuştun ama bu bir daha olmayacak." Silahın horozu kalkıktı, parmağı tetikteydi ve Leon'un sağ bacağına nişan almıştı. "Hadi yapsana geri zekâlı! Yap da o kahrolası bacağını havaya uçurmak için bir sebebim olsun."

Leon, onun ciddi olduğunu biliyordu. Tırnaklarını avuçlarına gömüp dişlerini sıktı. Eva hâlâ konuşmakta olan Penrod'a bakıyordu. Ara sıra ifadesiz bir yüzle başını sallıyor ve Penrod da en sevimli ve ikna edici haliyle konuşmaya devam ediyordu. Sonunda Eva'nın omuzları teslim olurcasına çöktü ve başını salladı. Penrod bir kolunu düşünceli, babacan bir tavırla omzuna attı, daha sonra Leon'un silah zoruyla beklediği yere döndüler. Eva, Leon'a bakmadı. Yüzü tamamen ifadesizdi.

Penrod, "Yüzbaşı Roberts!" dedi. O da Leon'a bakmamıştı.

"Komutanım?"

"Mahkûmu kelepçeleyin."

Eddy kemerindeki kelepçeyi alıp Leon'un bileklerine geçirdi.

Penrod, "Burada tutun. Bir şey yapmadıkça da zarar vermeyin," diye emretti. "Benden emir alana kadar bu dağdan ayrılmasına da izin vermeyin. Sonra da asker eşliğinde Nairobi'ye götürün. Orada kimseyle konuşmasına izin vermeyin. Doğruca bana getirin."

"Başüstüne komutanım!"

Penrod, Eva'ya döndü. "Gel canım, önümüzde uzun bir yol var." Atlara doğru yürüdüler ve Leon arkalarından seslendi, çaresizlikten sesi çatallanmıştı. "Gidemezsin Eva. Beni şimdi bırakamazsın. Lütfen sevgilim."

Eva dönüp ifadesiz, umutsuz gözlerle ona baktı. "Oyun oynayan iki aptal çocuktuk. Artık bitti. Hoşça kal Leon."

Leon, "Ah Tanrım," diye inledi. "Beni sevmiyor musun?"

"Hayır Leon. Sevdiğim tek şey görevim." Ve Leon, yürüyüp giderken kalbinin nasıl kırık olduğunu, bu yalanın nasıl dudaklarını yaktığını bilmiyordu.

Penrod'la Eva dağdan ayrılır ayrılmaz Eddy Roberts *askari*'lerine Leon'u kulübeye götürmelerini söyledi ve bacakları damı destekleyen orta direğin iki yanına gelecek şekilde oturttu. Sonra kelepçeyi ellerinden çıkarıp ayak bileklerine taktı. Sadistçe gülerek, "Seninle hiçbir şeyi şansa bırakmam Courtney. Senin ne kaypak bir vahşi olduğunu biliyorum," dedi. İsmail'in günde bir kere yemek getirmesine, tuvalet kovasını dökmesine ve bebek gibi sırtını yıkamasına izin veriyordu. Fakat bunun dışında Leon on iki uzun, onur kırıcı gün boyunca orada oturmaya mecbur kaldı. Sonunda Penrod Ballantyne'dan sarı emir kâğıdına yazılmış bir not geldi. Bunun üzerine Eddy Roberts kulübeden çıkmasına izin verdi ve *askari*'ler atına bindirdiler. Ayak bilekleri şişmiş kelepçelerin takılı olduğu yerler o kadar kötü durumdaydı ki güçlükle ayakta durabiliyordu. Yine de Eddy ayak bileklerinin atın karnının altından birbirine bağlanmasını emretti.

Rift Vadisi'nden tren yoluna kadar kötü bir yolculuk yaptılar. Bunu, Leon'un hayvanının ardından giden ve onu bozuk yolda koşmaya zorlayan Eddy sağlamıştı. Ayak bilekleri bağlı olan Leon atını yönlendiremiyor ve oradan oraya savruluyordu.

İki *askari* yeğenini adeta sürüyerek KAR Karargâhı'ndaki odasına getirdiklerinde Penrod sinirliydi. Masasının başından kalkıp iskemleye oturmasına yardım etti. "Sana bu şekilde davranmalarını istememiştim," dedi. Ağzından ilk kez özre benzer bir söz çıkıyordu.

"Hiç önemli değil efendim. Elimi kolumu bağlamaktan başka yol bırakmadım size sanırım."

Penrod, "Kaşındın," diye hak verdi. "Seni çekip vurmadığım için şanslısın. O da aklımdan geçmedi değil."

"Eva nerede amca?"

"Muhtemelen şu sıralar Süveyş Kanalı'na varmıştır, Berlin'e dönüyor. Gemi Mombasa'dan kalktıktan sonra sana haber yollattım." Yüzü yumuşadı. "Böylece üzücü şeyler yaşamamış oldun evlat. Bence aklını başına getirmekle ve onu senden uzaklaştırmakla çok iyi bir iş yapmış oldum."

"Öyle olabilir efendim, ama size minnet duyduğumu söyleyemem."

"Belki şimdi değil, ama sonra o da olacak. O bir casus, bunu biliyor muydun? Entrikacı ve vicdansız bir kadın."

"Hayır efendim. O bir Britanya ajanı. Çok cesur ve çok güzel bir kadın, size ve Britanya'ya elinden gelenin fazlasını veren biri."

"Onun gibi kadınlara söylenen bir söz vardır."

"Efendim, eğer bunu yüksek sesle söylerseniz yapacaklarımdan sorumlu olmam. Bu sefer beni gerçekten vurmak zorunda kalırsınız."

"Sen aptalın tekisin Leon Courtney, zevk düşkünü, akılsız bir adamsın." Koltuğunun arkasına asmış olduğu üniformasının ceketini aldı.

Ceketini düğmeleyince Leon omuzlarında üç yıldız ve çapraz kılıç olduğunu gördü. "Hakaretleriniz bittiyse efendim, belki yıldırım hızıyla korgeneral oluşunuzu tebrik etmeme izin verirsiniz."

Leon gerilimi azaltmıştı ve Penrod barış isteğini kabul etti. "Demek ki kırgınlık yok aramızda. Hepimiz yapmamız gerekeni yaptık. Tebrikin için teşekkürler Leon. Sen Lonsonyo Dağı'nda balayı yaparken kaçık bir Sırp Avusturya-Macaristan Arşidük'ü Franz Ferdinand'a suikast düzenlediğinden haberin var mı? Ve Sırpların yaptığı sert misillemenin bir sürü tepkiye yol açtığından? Avrupa'nın yarısı şimdiden savaşta ve Kayzer Wilhelm de savaşa girmeye hazırlanıyor. Her şey tam tahmin ettiğim gibi gelişiyor. Birkaç ay için topyekün savaş olacak." Cebinden sigara kutusunu çıkardı ve bir Player's yaktı. "Boer Savaşı'nda 'Kanlı Boğa' Allenby'le birlikteydim, şimdi Mısır Ordusu'nun başında. Mezopotamya'ya girmeye hazırlar ve benim de süvarilerinin başına geçmemi istiyor. Gelecek hafta gemiyle Kahire'ye hareket ediyorum. Evde birkaç gün geçirmem yengeni de mutlu eder sanırım."

"Lütfen benim de sevgilerimi iletin efendim. Nairobi'de yerinize kim geçiyor?"

"Senin için iyi haber. Eski dostun ve hayranın Kurbağa Snell albaylığa terfi ettirildi ve benim görevimi artık yürütecek." Leon'un yüzünün asıldığını gördü. "Evet, ne düşündüğünü biliyorum. Ancak, gitmeden önce sana son bir iyilik yapabilirim. Hugh Delamere, KAR'dan bağımsız bir hafif süvari birliği kuruyor. Seni yedeklikten irtibat ve istihbarat subayı olarak oraya geçirttim. Kendi birliğinde uçakla keşif yapmanı çok istiyor. Snell'le anlaşamadığımızı biliyor ve seni ondan koruyacak."

"Çok düşünceli. Ama küçük bir sorun var. O keşif uçuşlarını yapacak uçağım yok."

"Kayzer Wilhelm savaş ilan ettiği an, uçağın olacak... aslında, iki tane olacak. Hugh Delamere, Mombasa'daki Kraliyet Donanması üssünden bir deniz uçağı pilotu ödünç aldı ve *Arı*'yı nakletsin diye Percy Kampı'na yolladı. Şimdi von Meerbach'ın iki uçağı da güvenle polo pistindeki hangarda bekliyor."

"Anladığımdan emin değilim. Gemiyle giderken onları da götürmedi mi?"

"Hayır, göz kulak olsun diye mühendisi Gustav'la birlikte orada bıraktı. Savaş çıktığı zaman bizim olacak. Biz de Kilmer'i toplama kampına kapatacağız ve uçaklara el koyacağız."

"Bu gerçekten güzel habermiş. Uçma bende bağımlılık yarattı ve vazgeçme fikri hiç hoşuma gitmiyordu. Beni serbest bıraktığınız anda Tandala Kampı'na gidip Max Rosenthal'la Hennie du Rand yokluğumda ne yaptıklarına bakmak istiyorum. Sonra da polo sahasına gidip Gustav'ın uçakları emniyete alıp almadığını kontrol ederim."

"Ah, Hennie du Rand'ı Tandala'da bulamayacaksın. Von Meerbach'la Almanya'ya gitti."

"Yüce Tanrım." Leon gerçekten şaşırmıştı. "Nasıl olmuş bu?"

"Graf bir şekilde kandırmış olmalı. Neyse, gitti işte. Gelecek cuma da ben gidiyorum. Beni geçirmeye istasyona gelirsin herhalde."

"Ne pahasına olursa olsun kaçırmam general."

"Sanki bir imada bulunuyormuşsun gibi geldi." Penrod ayağa kalktı. "Serbestsin."

"Son bir soru sorabilir miyim efendim?"

"Sor bakalım, ama ne soracağını tahmin ettiğim için cevap vereceğime söz vermiyorum."

"Almanya'dayken Eva Barry'le mesajlaşmak için bir ayarlama yaptınız mı?"

"Ah! Demek genç hanımın asıl adı buymuş. Von Wellberg'in sahte bir isim olduğunu biliyordum. Anlaşılan sen, onun hakkında benden çok şey biliyorsun. Eğer bu da bir ima olduysa özür dilerim."

"Bunların hiçbiri sorumun yanıtı değil general."

"Değil, değil mi?" Penrod hak verdi. "Böylece bırakalım mı bunu?"

Leon atla Tandala Kampı'na gitti ve çadırına girince Max Rosenthal'ı eşyalarını toplarken buldu. "Ayrılıyor musun Max?" diye sordu.

"Yerliler bize karşı bir pogrom(*) başlatıyor. Bu savaşı, Kitchener'ın Güney Afrika'dakilere yaptığı gibi İngiliz toplama kamplarında geçirmek istemiyorum, o yüzden Alman sınırına gidiyorum."

Leon, "Akıllı adam," dedi. "Buralarda durum değişiyor. Ben iki uçak hakkında Gustav'la konuşmak üzere polo sahasına gidiyorum. Eğer yarın sabahın ilk ışıklarında orada olursan, ikinizi de Arusha'ya ve güvenli bir yere ulaştırabilirim."

Leon atıyla Nairobi'nin ana caddesine girdiğinde karanlık çökmesine rağmen bütün şehir ayaktaydı. Uzak çiftliklerden gelen göçmen aileleriyle tıklım tıklım dolu atlı arabaları ve karavanları yara yara ilerlemek zorunda kalıyordu. Von Lettow Vorbeck'in birliklerini sınıra yığdığı ve yoluna çıkan çiftlikleri yakıp yıkarak Nairobi'ye yürümeye hazırlandığı söylentisi yayılmıştı. Korgeneral Ballantyne'ın adamları mültecilerin konaklatması için KAR Karargâhı'nın tören meydanına çadırlar dikmekteydi. Kadınlar ve çocuklar yerleşme işleriyle uğraşırken, erkekler de Lort Delamere'in başıbozuk hafif süvari alayına asker kaydettiği Barclays Bankası'na gidiyordu.

(*) Planlanmış katliam.

Leon bankanın önünden geçerken gönüllüler heyecanlı gruplar halinde tozlu caddede toplanmış savaşı ve koloniyi nasıl etkileyeceğini tartışıyordu. Atları eyerlenmişti ve kendileri de av kıyafetlerini giymişlerdi. Çoğunda av tüfekleri vardı, von Lettow Vorbeck'le cani askerlerine saldırmaya hazırdılar. Leon çok azının askeri eğitim aldığını biliyordu. Acıyarak gülümsedi. Ahmak herifler. Bunun Afrika tavuğunu yakalamak gibi bir şey olacağını sanıyorlar. Almanların da isabetli atış yapacağı ihtimali akıllarına bile gelmiyordu.

Tam o anda bankanın karşısındaki telgraf ofisinden elindeki kâğıdı sallayarak bir adam fırladı. "Londra'dan mesaj geldi! Başlamış!" diye bağırdı. "Kayzer Bill, Britanya ve imparatorluğa karşı savaş ilan etmiş! Zafer bizim olacak!"

Her taraftan tezahüratlar yükseldi. Bira şişeleri havaya kalktı ve, "Geri zekâlıları gebertin!" naraları yükseldi.

Bobby Sampson da Leon'un çoğunu tanıdığı bir grubun içindeydi. Aklına bir şey geldiğinde o da atından inip onlara katılmak üzereydi. Gustav bu savaş ilanı karşısında nasıl davranacaktı? Graf Otto gitmeden önce bu ihtimale karşı ne gibi önlemler almıştı?

Hemen atını topuklayıp polo sahasına döndü.

Ulaştığında hava kararmıştı. Hangara yaklaşırken atını yürüyüş hızına getirdi. Yağmur yağdığı için toprak yumuşamıştı. Böylece atın toynak sesleri duyulmuyordu ve branda duvarın ardından hangarda yanan ışığı gördü. Önce içeride birinin fenerle dolaştığını sandı. Sonra ışığın fazla kırmızı olduğunu ve titreştiğini fark etti.

Yangın!

Tahmini doğru çıkmıştı. Dizginleri ayaklarından attı ve yere atladı. Sessizce kapıya koştu ve durumu değerlendirmek için bir süre bekledi. Gördüğü alev Gustav'ın elinde tuttuğu meşalenin aleviydi. Onun ışığında iki uçağın her zamanki gibi hangarın iki ucunda, kuyrukları geride park edilmiş olarak durduğunu gördü. Birine ilişmeden diğerini hangardan çıkarmak mümkündü.

Gustav uçaklar Almanya'dan gelirken kullanılan sandıkların çoğunu parçalamış ve *Kelebek*'in gövdesinin altına piramit gibi dizmişti. Sırtı Leon'a dönük ve uçakları yakma hazırlıklarıyla meşgul olduğu için Leon'un arkasında, kapıda durduğunu fark etmemişti. Sağ elinde meşale, sol elinde de açık bir şnaps(*) şişesi vardı. Sarhoş bir halde iki uçağa veda konuşması yapıyordu.

"Şimdiye kadar aldığım en zor görev. Sizler benim beynimin ürünüsünüz. Sizi kendi ellerimle yaptım. Güzel bedenlerinizin her çizgisini hayal ettim. Günlerce, gecelerce çalıştım. Benim zekâmın ve becerilerimin abidelerisiniz." Hıçkırdı, bir yudum daha şnaps içti ve şişeyi indirirken geğirdi. "Şimdi sizi yok etmem gerekiyor. Benim de bir parçam ölmüş olacak. Keşke benim de kendimi o ateşe atacak cesaretim olsaydı, çünkü siz gidince hayatım küle dönecek zaten." Meşaleyi tahta yığınına doğru fırlattı, ama sarhoş olduğu için dengesini kaybetti ve meşale kıvılcım çıkararak bir yay çizdi. Yakındaki iskele motorun pervanesine çarptı ve sekip yerde yuvarlanarak Gustav'ın ayaklarının dibine geldi. Gustav söylenerek meşaleyi yerden almak üzere eğildi.

Leon o anda üstüne atıldı. Gustav meşalenin sapını kavramıştı, ama Leon'un hamlesiyle yere düştü ve elinden fırlayan şnaps şişesi de düşüp kırıldı. Fakat her nasılsa meşaleyi elinde tutmayı başarmıştı.

Öyle iriyarı birinden beklenmeyecek bir çeviklikle dizlerinin üstünde dikilip Leon'a baktı. "Beni durdurmaya çalışırsan öldürürüm seni!" Meşaleyi tekrar fırlattı ve bu sefer tahtalara isabet ettirdi. Leon acaba Gustav petrole mi buladı diye merak etti, ama alev hâlâ yandığı halde patlama olmamıştı. Alevler şiddetlenmeden yetişebilmek için o tarafa koştu.

(*) Votkaya benzer, patatesten yapılan bir içki.

Gustav ayağa kalkıp yolunu kesti. Başını önde tutup kollarını ayırarak Leon'un meşaleye ulaşmasını engellemeye çalıştı. Leon, ona doğru koştu, ama Gustav'ın yakalamasına fırsat vermeden kasıklarına bir tekme indirdi. Mahmuzları adamın bacak arasına gömüldü. Alman bağırarak geri çekildi, iki eliyle acıyan organını tutuyordu.

Leon omuz atarak onu kenara itti ve tahtalara ulaştı. Meşaleyi kaptığı gibi kapıya doğru savurdu. Sandıklardan birinin tahtaları tutuşmuştu. Onu da aldı ve yere atıp üstünde tepindi.

Gustav, Leon'un sırtına atılıp adaleli kollarından birini boynuna doladı ve öldürücü bir güçle sıkmaya başladı. İki bacağını da Leon'un belinde kilitlemişti. Kolunu biraz daha sıkınca Leon boğulur gibi oldu.

Sulanan gözüyle koca Meerbach devir motorunun pervanelerinden birinin tam karşısında, baş hizasında asılı olduğunu gördü. Lamine tahtadan yapılmıştı, ama kenarları metaldi ve bıçak gibi keskindi. Hızla kendi etrafında dönüp Gustav'ı pervanenin hizasına getirdi, sonra geri itti. Pervane adamın kafasına çarpıp kemiği kırmış ve onu sersemletmişti. Kolu gevşedi ve Leon silkinip kendini kurtardı. Gustav bir daire içinde dönüp duruyordu, kafasındaki yaradan kan fışkırıyordu. Leon sağ yumruğunu sıktı ve çenesine bir kroşe indirdi. Gustav sırtüstü yere devrildi.

Soluk soluğa kalan Leon deli gibi etrafına bakındı. Meşale attığı yerde duruyordu. Hâlâ yanıyordu, ama alevlerin ulaşabileceğini yerlerde bir şey yoktu. Daha tehlikelisi yanan sandığı söndüremememiş olmasıydı. Artık alevler iyice canlanmıştı. Leon tahtayı aldı ve girişe doğru koştu. Onu dışarı fırlattıktan sonra dikkatini meşaleye yöneltti. Tam onu almak üzere eğilirken arkasından bir tıslama sesi duydu ve kendini yana attı. Sağ kulağının dibinden bir şey geçmişti. Dönüp arkasına baktı.

Gustav atölye rafından bir balyoz almıştı. Sonra da iki eliyle uzun sapından tuttuğu balyozu Leon'un başına doğru savurmuştu. Leon son anda çekilmese kafatası parçalanırdı. O arada savurduğu aletin ağırlığı Gustav'ın dengesini bozmuştu ve o toparlanamadan Leon, adamı ayı kapanına alıp balyozu ikisinin arasına sıkıştırdı. Bir süre yenişemeden öylece dönüp durdular.

Leon ondan on iki santim daha uzundu, ama Gustav da iriyarıydı ve yıllarca bedeniyle iş yaptığı için sertleşen kaslarıyla aradaki dengeyi sağlıyordu. Onun yerinde başkası olsa şimdiye kadar işi bitmişti ve Gustav'ın direnci korkutucuydu. Yaraları yüzünden salgıladığı adrenalin sayesinde gücü giderek artıyormuş gibiydi. Leon'u yanan meşalenin bulunduğu girişe doğru geri geri sürükledi. Leon bacaklarının arkasındaki sıcaklığı hissetti. Sonra Gustav'a döndü ve kalçasıyla düşmanını itti. Leon bir an için dengesini kaybeder gibi oldu ve o arada Gustav meşaleye güçlü bir tekme indirdi. Meşale yerde zıplayarak tahtadan piramidin dibine kadar gitti. Bir anda hangarın içine duman ve yanık kokusu dolmuştu.

Leon öfkeden delirmiş bir leopar gibi son bir güçle, Gustav'ın kollarından kurtuldu ve çelme takarak onu yere düşürdü. Kendisi de bütün ağırlığıyla üstüne atladı. Adamın göğsündeki hava gürültülü bir şekilde dışarı çıkmıştı. Leon bir jimnastikçi gibi ayağa fırladı ve meşaleyi tahtalardan almak için koştu. İki parça tutuşmuştu bile, ama Gustav yine saldırana kadar onları yığından alıp uzaklaştırmak için fırsatı oldu. Adam balyozla Leon'un yüzüne doğru büyük daireler çizerek onu geri çekilmeye zorluyordu. Artık hırıltıyla nefes almaya başlamıştı. Kafatasındaki yara yüzünden gömleğinin arkası ve kasıklarındaki yara yüzünden pantolonunun önü kana bulanmıştı, ama artık acı duymanın ötesine geçmişti. Balyoz metronom gibi öne arkaya savruluyor ve Leon adım adım gerilemek zorunda kalıyordu.

Sonunda sırtı hangarın köşesine dayandı. Açı yüzünden kaçamıyordu ve Gustav'ın onu kapana kıstırdığının farkındaydı. Gustav iki eliyle balyozu kaldırdı ve Leon'un başına nişan aldı. Leon balyoz indiğinde kaçacak yer olmadığını biliyordu. Etrafında kendini atacağı bir boşluk kalmamıştı. Gustev'ın gözlerine bakarak niyetinin ne olduğunu anlamaya çalıştı; onu bakışlarıyla etkileyebileceğini düşünüyordu fakat içkinin ve acının etkisiyle adam daha da vahşilemişti. Bakışlarında ne tanıdık bir ifade ne de merhamet vardı.

Sonra Gustav'ın ifadesi aniden değişti. Gözlerindeki deli öfkenin yerini hayret aldı. Ağzını açtı ama bir şey demesine fırsat kalmadan dudaklarının arasından kan fışkırdı. Balyoz elinden düştü. Başını eğip kendi vücuduna baktı.

Göğsünün ortasından bir Masai *assegai*'sinin ucu çıkmıştı. Gördüğü şeye inanamıyormuş gibi başını salladı. Sonra bacakları büküldü. Manyoro hemen arkasındaydı ve Gustav düşerken mızrağını çekip aldı. Alman'ın kalbi hâlâ atıyor olmalıydı, ki yaradan oluk gibi kan fışkırdı ve Gustav ölürken küçüldü.

Leon, Manyoro'ya bakakalmıştı. Zihni bu garip durumu kavramaya çalışıyordu. Manyoro'yu en son bir hafta önce Lonsonyo Dağı'nda görmüştü. O kadar çabuk nasıl gelebilmişti? Sonra Loikot'un da orada olduğunu gördü ve engel olmasına fırsat kalmadan o da *assegai*'sini cesede sapladı.

Leon dehşet içinde kalmıştı. Ne koşullarda olursa olsun, sonuçta beyaz bir adamı öldürmüşlerdi. Bunun karşılığı idamdı. Koloni yönetimi beyazların elliye bir azınlıkta olduğu bir bölgede böyle iğrenç bir saldırıya göz yumamazdı. Yoksa çok tehlikeli bir örnek oluştururdu. Beyni bununla savaşırken iki Masai'ye, "Nasıl geldiniz buraya?" diye sordu.

"Askerler seni Lonsonyo'dan götürürken peşine takıldık."

"Hayatımı size borçluyum. Bula Matari, beni öldürecekti, ama polis yakalarsa başınıza geleceği biliyorsunuz."

Manyoro vakarla, "Önemli değil," dedi. "Bana ne isterlerse yapabilirler. Sen, benim kardeşimsin. Durup öldürülmeni seyredemezdim."

"Nairobi'de olduğunuzu başka bilen var mı?" İkisi de başını salladı. "Güzel. Çok çabuk olmalıyız."

Hep birlikte Gustav'ın cesedini, depodan aldıkları bir brandaya sarıp, ayağına da yirmi beş kiloluk bir krank demiri bağladılar. Halatla iyice bağladıktan sonra *Kelebek*'e taşıdılar ve gövdedeki ana bomba yatağına yerleştirdiler. Hızlarını azaltmadan hangarı toparladılar, kavganın ve yangının bütün izlerini temizlediler. Kalan sandık parçalarını Polo Kulübü'nün arkasındaki odunların yanına götürdüler. Sonra topraktaki kan lekelerinin üstüne taze toprak döküp iyice ezdiler ve kan olduğu belli olmasın diye lekeli yerlere makine yağı döktüler. Gustav'ın kayboluşunu soruşturan olursa, toplama kampına düşmemek için kaçtığı sanılacaktı.

Leon kanıtları ellerinden geldiğince örtbas ettiklerine inanınca *Kelebek*'i hangardan çıkardılar ve Leon kokpite tırmanıp çalıştırmaya başladı. İki Masai de pervaneleri çevirmek için hazır bekliyordu. Sonra dörtnala gelen atın sesini duyunca kazık kesildiler ve o yöne baktılar.

Leon, "Polis mi?" diye mırıldandı. "Uçakta öldürülmüş bir adamın cesedi var. Başım belaya girebilir."

Nefesini tuttu ama Max Rosenthal'ın atından indiğini görünce salıverdi. Koşarak *Kelebek*'e gelirken sırt çantasını da omzuna atmıştı. "Bana yardım edeceğinizi söylemiştiniz," dedi. Dehşet içindeymiş gibiydi. "Az önce tören meydanında casuslukla suçladıkları üç Almanı vurdular. Bay Courtney, benim casus olmadığımı biliyorsunuz."

"Merak etme Max. Seni buradan götüreceğim. Uçağa bin."

Motorlar çalışır çalışmaz iki Masai de kokpite tırmandılar ve ay ışığında Leon güneye dönüp Alman Doğu Afrika'sı sınırına doğru uçmaya başladı. Üç saat sonra Natron Gölü'nün gümüş parıltıları göründü, ay ışığında yüzeyi ayna gibiydi. Leon neredeyse göle değecek kadar alçaldı. Gölün ortasına gelince de bomba yatağının kapağını açıp, yandan sarkarak brandaya sarılı cesedin sodalı suya düşmesini izledi. Ceset suya girince beyaz köpükler sıçradı. Leon yüzeyde kalmayıp battığından iyice emin olana kadar gölün etrafında attı.

Daha sonra gölün doğu sahiline döndü. Natron Gölü Alman ve İngiliz bölgeleri arasındaki sınırı aşıyordu. Yılın bu kurak mevsiminde kumsallar ortaya çıkardı ve su soda yönünden zengin olduğu için sertleşip bembeyaz ışıldardı. Leon *Kelebek*'i rahatça o kumsallara indirebilirdi. İşin zor yanı hangisine güvenebileceğini kestirmekti. Bir tanesinin üzerinden uçtuktan sonra dönüp geldi ve uçağı yavaşça yere indirdi. *Kelebek* hız kaybederek ilerlemeye başladı. Sonra, kalbi ağzına gelerek tekerleklerin soda tabakasını kırdığını ve altındaki yumuşak çamura gömüldüğünü hissetti. Uçak öyle ani durmuştu ki emniyet kemerlerini bağlamalarına rağmen savruldular.

Leon motorları kapattı ve kumsala atladı. Hızlı bir keşif, iniş takımlarında veya gövdede hasar olmadığını gösterdi, ama tekerlekler aksa kadar çamura saplanmıştı. Leon yüzeyi kontrol etmek için *Kelebek*'in etrafında bir tur attı. Şansı iyi gitmiş küçük bir çamur tabakasına denk gelmişlerdi. Oysa elli adım ötede zemin sağlamdı, ama dört adamın o ağır uçağı oraya nakletmesine imkân yoktu.

"Neredeyiz Manyoro?"

İki Masai cevap vermeden önce durumu kendi aralarında tartıştılar.

"Bula Matari'nin ülkesindeyiz. Sınıra varmak için geriye doğru yarım günlük yol yürümek lazım."

"Yakınlarda Alman var mıdır?"

Manyoro başını salladı. "En yakın yer Longido." Güneydoğuyu gösteriyordu. "Askerlerin oraya varması bir günden fazla sürer."

"Yakınlarda yardım isteyebileceğimiz bir köy var mı?"

"*Ndio M'bogo*. Kıyıdan bir saatlik yolda büyük bir balıkçı köyü var."

"Yük öküzleri de var mıdır?"

Manyoro, Loikot'a danıştı ve ikisi birden başlarını salladılar. "Evet. Büyük bir köyü, şefi de zengin bir adam. Bir sürü öküzü var."

"Koşabildiğin kadar hızla ona koş kardeşim. Öküz arabasını getirip bizi bu çamurdan kurtarırsa onu daha da zengin yapacağımı söyle. Halat da getirmesi gerek."

Leon ve Max beklemek üzere kokpite yerleştiler, ama sivrisinekler yüzünden şafağa kadar uyuyamadılar. Sonunda Manyoro ile Loikot'un gittiği yönden birtakım sesler duydular ve öküzleri gördüler. Arkasından kıyıdan bir sürü insan ve hayvan yaklaşmaya başladı. Manyoro çok önlerinden koşuyordu.

Leon kokpitte ayağa fırlayıp gelenleri karşılamak için koştu.

"İki öküz koşumu birden getirdim." Manyoro başarısı yüzünden sırıtıyordu.

"Sana minnettarım Manyoro. Çok önemli bir iş başardın. Halat da getirdiler mi?"

Manyoro'nun tebessümü soldu. "Sadece kısa deri şeritler, bizi o çamurdan çıkarmaya yetmez," diye itiraf etti. Üzülmüş gibi yapmaya çalıştı, ama Leon gözlerinde bir pırıltı oynaştığını görmüştü.

"Senin gibi akıllı bir adam başka bir çare düşünmüştür belki?" dedi.

Manyoro en parlak tebessümüyle güldü.

"Ne getirdin kardeşim?"

"Balık ağları!" diye bağırdı ve kahkahalara boğuldu.

Leon, "Çok güzel bir şaka," dedi. "Ama artık doğruyu söyle."

"Doğrusu bu." Gülmekten katılıyordu. "Göreceksin M'bogo, göreceksin ve bana biraz daha dua edeceksin."

Gölün kıyısına yüzlerce balıkçı, kadın ve çocukla birlikte otuz altı tane öküz gelmişti. Her öküzün sırtında koca kahverengi bir çıkın vardı. Manyoro ve Loikot'un titiz gözetimi altında çıkınlar açılıp kumsala serildi. Bunların altmışar metre eninde el örgüsü ağlar olduğu anlaşıldı. Gözleri üç santim kadardı; düğümleri düzgün ve sağlamdı. Leon bir kısmını alıp yırtmaya çalıştı. O bütün gücüyle asılırken köylüler etrafında dans edip bağırışıyordu.

Birbirlerine, "Şunun suratına bakın!" diyorlardı. "Rengi hindi ibiği gibi oldu. Bizim ağlarımız ülkenin en güzel ve en sağlam ağlarıdır. En büyük timsahlar bile parçalayamaz."

Ağlar yerde birleştirildi, sonra yaklaşık bir metre çapında bir halat halinde dürüldü. Transatlantik halatlarından bile kalın ve ağır olmuştu. Bir köylü grubu halatın bir ucunu *Kelebek*'in garip bir açıyla durduğu yere taşıdı. Leon ucu iniş takımlarına doladı ve köylülerin getirmiş olduğu deri şeritlerle bağladı. Öküzler takım takım çamurun kıyısına dizildi ve koşumlarına halatın diğer ucu bağlandı. Leon, Max ve iki Masai *Kelebek*'in kanat uçlarına geçip tehlikeli bir şekilde sallanmasını ve çamura girmesini önlemeye hazırlandılar. Sonra seyredenlerin gayret naralarıyla ve öküz çobanlarının kamçılarıyla çekme eylemi başladı. Halat çamurdan çıkmış ve gerilmişti. Bir dakika boyunca başka bir şey olmadı, ama sonra, kademe kademe, tekerlekler çamurdan kurtuldu ve *Kelebek* sağlam zemine ulaştı.

Kutlama ve kendi kendini tebrik etme histerisi bitince Leon, köyün şefine birkaç öküz daha almasına yetecek cömert bir para verdi. Sonra Max'le vedalaştı ve onun sırt çantasıyla, neşe içinde Alman polis karakolu Longido'ya doğru yürüyerek uzaklaşmasını izledi. O ağaçların arasında kaybolunca Leon'la Masai'ler *Kelebek*'in motorlarını çalıştırdılar ve kokpite tırmandılar. Havalanınca Leon uçağı Nairobi'ye gitmek üzere kuzeye doğru yönlendirdi.

Leon, kendini Lort Delamere'e rapor edip, lort hazretlerinin yeni istihbarat ve irtibat subayı olarak göreve başlayınca sonraki günler büyük telaş içinde geçer oldu. Bütün bu hengameye rağmen Eva hiç aklından çıkmıyordu. Hayali günün olmadık saatlerinde bir anda karşısında beliriveriyordu.

Penrod, Mısır'daki yeni görevi için ülkeden ayrılırken Leon da onu uğurlamak için tren istasyonuna gelmişti. Eva'yla ilgili yaşadıklarından sonra araları hissedilir derecede soğumuştu. Son anda, tam kondüktör hareket düdüğünü öttürdüğü sırada, Leon kendini daha fazla tutamadı ve amcasına bir kere daha Eva ile nasıl haberleşeceğini sordu, ne de olsa Almanya ile Britanya arasındaki normal iletişim kanalları kapanmıştı.

Penrod, "O genç hanımı unutman gerek. Seni bir kere ateşten kurtardım ve bunu bir daha yapmak zorunda kalmak istemiyorum. O kadın sana bela ve kalp kırıklığından başka bir şey vermez," diye cevap verdi ve kendi vagonunun balkon kısmına tırmandı. "Yengene sevgilerini iletirim. Buna sevinir."

Aradan hemen hemen bir hafta geçmişti ve Leon, Lort Delamere'in Barclays Bankası'ndaki ofisinden çıkıyordu. Ana kapıdan geçip yola iner inmez küçük yumuşak bir elin eline değdiğini hissetti. İrkilerek aşağı baktı ve bir Vilabjhi meleğinin koca kara gözleriyle karşılaştı.

"Latika! Benim tatlı lolipopum!"

Küçük kız keyifle, "Adımı hatırlıyorsunuz," dedi.

"Tabii ki hatırlıyorum. Biz arkadaş değil miyiz?"

Küçük kız görevini ancak o zaman hatırladı. Leon'un eline katlanmış küçük bir kâğıt tutuşturdu. "Babam bunu size vermemi söyledi."

Leon kâğıdı açıp okudu. "Sizinle konuşmam gerek. Latika ne zaman uygunsanız dükkânıma getirebilir. Bay Goolam Vilabjhi Esq."

Latika, Leon'un elini çekiştiriyordu, o da kendini kıza bırakıp atına kadar gitti. Ata bindikten sonra eğilip kızı aldı ve terkesine oturttu. Kız kollarını sıkıca beline dolayınca, onun heyecanlı çığlıkları arasında ilerlediler.

Bay Vilabjhi'nin dükkânına girince onuruna düzenlenmiş köşenin daha fazla anı eşyasıyla dolmuş olduğunu gördü. Uçuş kıyafetiyle çekilmiş fotoğrafları ve polo sahasındaki piknikle ilgili kesilmiş gazete kupürleri eklenmişti.

Bay Vilabjhi arkadaki odasından koşturarak karşılamaya geldi ve karısı da sert Arap kahvesiyle şekerleme ikram etti. Bütün kızları da peşindeydi, ama babaları hemen kovaladı. "Kaybolun, sizi küçük cadı dişiler!" Onlar içeri kaçışınca kapıyı arkalarından sürgüledi. Daha sonra Leon'un yanına geldi. "Size akıl danışmak istediğim çok acil ve önemli bir mesele var."

Leon kahvesini yudumlayıp devamının gelmesini bekledi.

"Hiç kuşkusuz amcanız Nadide Sahip Korgeneral Ballantyne'ın kendisi adına tatlı Hanım Sahip von Wellberg'den gelecek mesajları almamı ve doğru yetkililere aktarmamı istediğini biliyorsunuzdur." Merakla Leon'a baktı.

Leon bu düzenlemeden haberi olmadığını söylemek üzereydi ama sonra bunun bir hata olabileceğini fark etti ve başını salladı. "Tabii ki," deyince Bay Vilabjhi rahatladı. "Korgeneralin beni seçmiş olmasının sebebi, kocasıyla birlikte Altnau'da, yani İsviçre'de, Bodensee Gölü'nün kuzeyindeki küçük kasabada yaşayan yeğenim. Gölün karşı kıyısında da Bavyera'nın Wieskirche kenti var. Alman kontunun şatosuyla Meerbach Motor Şirketi'nin ana fabrikası da orada. Ayrıca Hanım Sahip von Wellberg de orada yaşıyor." Bay Vilabjhi bunu özellikle vurgulamıştı. "Yeğenim İsviçre telgraf şirketinde çalışıyor. Kocasının da gölde küçük bir balıkçı teknesi var. Kıyı o kötü Almanlar tarafından fazla korunmadığı için geceleri gölü geçip Wieskirche'den mesaj almak, sonra da eve dönüp telgrafla bana iletmek zor olmuyor. Ben de gelen mesajları Korgeneral Ballantyne'a iletiyordum. Ama artık saygıdeğer general gitti. Gitmeden önce de gelecek mesajları KAR Karargâhı'nda kendisinin yerine geçen subaya iletmemi söyledi."

Leon soğukkanlılıkla, "Evet, Binbaşı Snell," dedi ama mesajların doğruca Eva'dan geldiğini anladığı için kalbi küt küt atıyordu.

"Ah, ben boşuna konuşuyorum, tabii ki siz bunları biliyorsunuzdur. Ancak feci bir şey oldu." Bay Vilabjhi lafını kesip dramatik bir tavırla gözlerini devirdi.

Korkudan Leon'un yüreği sıkışmıştı. "Hanım Sahip von Wellberg'e bir şey mi olmuş?" diye sordu.

"Yok, yok, çok şükür Hanım Sahip'e değil, ama bana oldu. Korgeneral gittikten sonra yeğenimden gelen ilk mesajı Binbaşı Snell'in ofisine götürdüm. Nahoş koşullarda bu adamın korgeneralin düşmanı olduğunu öğrendim. Şimdi kendisi Mısır'a gittiğine göre, Snell o onurlu babacan akrabanız adına hiçbir şey yapmayacaktır. Çünkü bence bu işin sağlayacağı başarı Snell'in değil korgeneralin olacak. Ayrıca, anlaşılan sizinle aramızdaki arkadaşlığı da biliyor ve sizi düşmanı sayıyor. Beni aşağılayıp dürüstlüğümü sorguladığı takdirde sizi de incitmiş olacağını biliyor. Beni çok kötü sözlerle huzurundan kovdu." Bay Vilabjhi duraksadı. Belli ki Snell'le yaptığı görüşmede derinden yaralanmıştı. Sonra acı acı devam etti. "Bana şeytana tapan vahşi dedi ve bir daha böyle palavralarla karşısına çıkmamamı söyledi." Kara gözlerinden yaşlar inmeye başladı. "Bundan sonrasına aklım ermedi. Ne yapacağımı bilemedim ve size başvurdum."

Leon düşünceli bir tavırla çenesini ovuşturdu. Beyni hızla çalışıyordu. Eva'yı bir daha görmek istiyorsa Bay Vilabjhi'nin ittifakına ihtiyacı olduğunun farkındaydı. Sözlerini dikkatle seçerek konuştu. "Siz de ben de Kral V. George'un sadık hizmetkârlarıyız, öyle değil mi?"

"Gerçekten de öyle sahip."

"Eğer o hayvan Snell bir hainse, siz ve ben değiliz demektir."

"Hayır! Asla! Bizler doğru ve yürekli İngilizleriz."

"Kralımız adına bu işi Snell'den almalı ve başarıya ulaştırmalıyız." Leon da Bay Vilabjhi'nin tumturaklı konuşma tarzını benimsemişti.

"Böyle bilgece sözler duymaktan mutlu oldum sahip! Ben de böyle diyeceğinizi umuyordum."

"Önce, siz ve ben Snell'in geri çevirdiği o mesajı okumalıyız. Emniyetli bir yerde mi?"

Vilabjhi masasından fırlayıp duvardaki demir kasaya koştu. Kırmızı deri ciltli kasa defterini çıkardı. Arka kapağın içine postanenin kendine has zarflarından birini saklamıştı. Çıkarıp Leon'a uzattı. Zarf mühürlüydü.

"Açmadınız mı?"

"Tabii ki hayır. Beni ilgilendirmez."

Leon "Eh, artık ilgilendiriyor," diyerek zarfı yırttı. İçindeki kâğıdı çıkardı, açıp masaya yayarken heyecandan elleri titriyordu. Sonra dehşetle irkildi. Mektup dizi dizi, sütun sütun sayılardan oluşuyordu, harflerden değil.

"Lanet olsun! Şifreli bu," dedi. "Sizde şifre anahtarı var mı?"

Bay Vilabjhi başını salladı.

"Ama cevabı nasıl yollayacağınızı biliyorsunuzdur?"

"Elbette. Hanım Sahip'le bağlantıyı yeğenim aracılığıyla ayarlamıştım."

Eva şatonun muhteşem mermer merdiveninden hızla indi. Binici çizmeleri halı kaplı basamaklarda ses çıkarmamıştı. Ahşap kaplama duvarlarda Otto'nun atalarının tabloları vardı ve her katta zırhlı giysiler sergileniyordu. İlk başlarda şatonun mimarisini ve dekorasyonunu sıkıcı bulmuştu, ama artık fark etmiyordu bile. En alt kata inince sahanlıktan gelen sesler duydu. Dinlemek için durdu.

Otto'nun yanında en az iki erkek daha vardı ve Eva, zeplin filosunun Tuğgenerali Alfred Lutz'la, şu anda Graf'la tartışıyormuş gibi görünen kıdemli kaptan Hans Ritter'in seslerini tanımıştı.

Otto'nun ses tonu yüksek ve emrediciydi. Yaralandığından beri eski zorba tavırları daha da abartılı bir hal almıştı. Eva, Ritter'in bunu şimdiye kadar anlayıp onu kışkırtmamaya özen göstermeyi becermesi gerektiğini düşündü. "Wieskirche'den ayrılıp Bulgaristan ve Türkiye üstünden geçeceğiz, sonra da kuvvetlerimizin hali hazırda kuzeyini işgal etmiş olduğu Mezopotamya'ya gideceğiz. Orada yere inip yakıt, yağ ve su ikmali yapmamız gerekiyor. Daha sonra Şam'a oradan Kızıl Deniz'i geçeceğiz; Nil vadisine, Hartum ve Sudan'a gideceğiz."

Sanki Otto, Lutz'la Ritter'e kütüphanenin duvarındaki büyük ölçekli, hareketli haritada ders veriyordu.

Konuşmaya devam etti. "Sudan'dan Büyük Afrika Gölleri'ni geçip Rift Vadisi üstünden Arusha'ya geleceğiz. Orada Schnee ile von Lettow Vorbeck bizim için yakıt ve yağ depoluyor. Oradan da Nyasa Gölü'ne ve Rodezya'ya gidiyoruz. Kalahari'nin ortasına gelene kadar telsizimiz sessiz kalacak. Ancak oraya gelince telsizi açıp, Afrika'nın batı kıyısındaki Walvis Körfezi'nde bulunan istasyonumuz üzerinden Koos de la Rey'le irtibat kuracağız."

Eva derin bir tatmin hissetti. Bu, şimdiye kadar ele geçiremediği en hayati bilgiydi. Artık Otto'nun Güney Afrikalı isyancılara silah ve cephaneyi nasıl ulaştıracağını biliyordu. Penrod denizaltıyla Güney Afrika'nın ıssız bir sahiline çıkaracaklarını düşünmüştü. Kimsenin aklına zeplin gelmemişti. Artık bütün planı, hatta Otto'nun kesin Afrika rotasını bile öğrenmişti. Bu bilgiyle, seyahatin başlangıç tarihi dışında, Penrod Ballantyne'a ihtiyacı olan tüm bilgiyi vermiş olacaktı.

Kütüphanenin çift kanatlı kapısının açıldığını ve seslerin daha yakından gelmeye başladığını duyunca irkildi. Ayak seslerinden Otto ile pilotların salona gelmekte olduğunu anladı. Onları dinlerken yakalanmamalıydı. Aşağı indiğini duyuracak şekilde inmeye devam etti. Adamlar grup halinde salonun ortasında duruyorlardı. Havacılar saygıyla selam verirken Otto'nun da yüzü keyifle aydınlanmıştı.

"Ata binmeye mi gidiyorsun?" diye sordu.

"Şefe Friedrichshafen'deki pazara gidip o ihtiyar hanımda siyah mantarlardan var mı, diye bakacağıma söz vermiştim. Onları ne kadar sevdiğini biliyorum. Birkaç saatliğine burada olmazsam sorun olmaz değil mi Otto? Dönüşte durup biraz göl manzarası çizebilirim."

"Hiç sorun olmaz canım. Zaten ben de Lutz ve Ritter'le fabrikaya gidip yeni zeplinin son montajlarına bakacağım. Ben de bir süre olmam herhalde. Muhtemelen öğle yemeğini de Tuğgeneral Lutz'la kıdemli yöneticiler salonunda yerim. Ama sakın gelecek hafta için plan yapma."

"Zeplini uçurmaya hazır mısınız yoksa?" Yapmacık bir heyecanla ellerini çırptı.

Graf Otto keyifle, "Belki oluruz, belki olmayız," diye dalga geçti. "Ama onu deneme uçuşu için hangardan çıkarırken orada olmanı istiyorum. Bence oldukça heyecan verici bulacaksın." Sol kolunu kaldırıp takma kısmın ucundaki metal başparmakla parmağı açtı. Aralarına bir Kuba purosu yerleştirdikten sonra yanlamasına bir bilek hareketiyle tekrar yerine taktı. Sonra kolunu kaldırıp puroyu dudaklarının arasına yerleştirdi ve Lutz purosunu rahat yaksın diye bir lamba tuttu.

Eva ürperdiğini belli etmemeye çalıştı. Takma kol onu korkutuyordu. Fabrikadaki mühendisler Otto'nun tasarımına göre yapmışlardı. Korkutucu bir hünerle kullanmaya başladığı olağanüstü bir kreasyondu. Şişeyi metal parmaklarının arasında tutarak tek damlasını bile dökmeden konuklarına şarap ikram edebiliyor, paltosunun düğmelerini ilikleyebiliyor, dişini fırçalıyor, oyun kâğıdı karıştırıp, ayakkabısının bağcıklarını bağlıyordu.

Ayrıca metal başparmakla parmağın yerine takılabilen bir sürü uç daha geliştirmişti. Bunların içinde çeşitli dövüş bıçakları, polo sopasını tutmak için bir sistem ve her zamanki nişancılığı ile kullandığı tüfeklerin dipçiğini dayamak için bir dayanak da vardı. Ancak bunların içinde en dehşet verici olanı çivili gürzdü. Elinin yerine onu takınca ağır meşe bir direği kıymık kıymık parçalayabiliyordu. Eva bu gürzle bacağı kırılmış bir atın kafasını parçalayıp acısına son verdiğine tanık olmuştu.

Otto, onu öptükten sonra konuklarını şatonun önündeki merdivenden indirdi. Siyah, pırıl pırıl bir Meerbach binek aracına bindiler, Otto şoförü indirip direksiyonu çelik eliyle kavradı ve fabrika yönünde hızla uzaklaştılar. Eva araba gözden kaybolana kadar el salladı. Sonra rahat bir oh çekerek ön avluya koştu, seyislerden biri en sevdiği kısrağıyla orada bekliyordu. Şatodan görülmez olunca kısrağın böğrünü topuklayıp dörtnala ormandan göle giden yola sürdü. Bu yalnız at gezileri o kasvetli şatodan ve Otto'dan yegâne kurtuluşuydu.

Leon'u tanıdığından beri, Graf'ın vazifeşinas ve üzerine titreyen metresi rolünü oynamak, onun bitmek bilmez fiziksel taleplerini karşılamak neredeyse imkânsız hale gelmişti. Bazı geceler, Graf o aslan pençelerinden kalan kırmızı izlerle dolu çıplak, kaslı bedeniyle üstüne çıktığında, yüzü arzuyla kızarıp şişmiş halde, terini üzerine akıtarak abanırken, onun tutkuyla alevlenmiş gözlerine tırnaklarını batırıp kendini dört direkli koca karyoladan atmamak için zor tutuyordu. Hata yapmadan ve adam aldatıldığını anlamadan daha uzun süre bu role devam edebilmesi mümkün değildi. Böyle bir durumda intikamı korkunç olurdu. Korkuyor ve Leon'un kollarında, onun sevgisiyle korunmuş olmayı özlüyordu.

"Onu seviyorum ama bir daha göremeyeceğimi de biliyorum," diye fısıldadı ve gözyaşları atınınkine eşit bir hızla yanaklarından inmeye başladı. Sonunda Bodensee Gölü kıyısında en sevdiği yere ulaştı, İsviçre Alpleri'nin karla kaplı zirveleri tam karşısındaydı. Yere atlayıp gözyaşlarını sildi ve mavi sulara baktı. Görünürde bir sürü yelkenli vardı ama o rüzgâr yüzünden ana yelkeni ve flok yelkeni camadana vurulmuş olan minik balıkçı teknesini seçti. Bir adam kıçtaki dümen yekesinin kenarına tembelce uzanmıştı ve rengârenk giysili esmer bir kız da teknenin burnuna bağdaş kurmuştu. Kız esrarengiz bir ifadeyle Eva'ya bakıyordu. Birbirlerini gayet iyi tanıdıkları halde hiç konuşmamışlardı ve ilk kez fiziksel olarak bu kadar yaklaşmışlardı. Eva, kızın adını bile bilmiyordu. Aralarındaki ilişki Penrod Ballantyne ve Bay Goolam Vilabjhi tarafından ayarlanmıştı.

Kız başını çevirip kıçtaki adama bir şeyler söyledi. Adam dümen yekesine asılıp tekneyi çevirdi. Rüzgâra karşı yol alırken direkteki çatal uçlu mavi flama açılıp dalgalanmaya başladı. Bu, Eva için bir mesaj olduğu anlamına geliyordu. Balıkçı teknesi rüzgârı sancak tarafından alarak gölün İsviçre tarafındaki rotasında ilerlemeye başlamıştı.

Eva rahatlamıştı. Son birkaç haftadır Penrod için Nairobi'ye yolladığı son mesajın cevabını bekliyordu. Adamın sessizliği kendini daha da kırılgan hissetmesine yol açmıştı. Leon'la ikisini ayırdığı için ona hâlâ kızgın olsa da Penrod yalnız dünyasında sahip olduğu yegâne müttefikti. Kısrağa atlayıp hayvanı Friedrichshafen yönünde sürmeye başladı. Meerbach arazisi kırk kilometreden geniş bir alana yayılıyordu.

İleride, göl kıyısında bir koru vardı. Ağaçlar sınır duvarının gölle kesiştiği yeri gösteriyordu. Duvara ulaştı ve duvardaki kapıyı açmak için atından indi. Taş bloklardan oluşan sağlam bir duvardı. Otto, ilk olarak Roma İmparatoru Tiberius'un lejyonerleri tarafından inşa edildiğini söyleyerek böbürlenirdi. Kısrağı kapıya bağladı, taş blokların üstüne tırmanıp çizim defterini kucağına açtı ve manzaraya hayran olmuş gibi bakınmaya başladı.

Kimsenin onu gözetlemediğinden emin olunca rahatça aşağı uzandı ve yosunlu bir taşı yerinden oynattı. Taşın arkasındaki delikte esmer kızın kendisi için bırakmış olduğu ince kâğıt duruyordu.

Eva kâğıdı açmadan önce taşı dikkatle eski yerine yerleştirdi. Mesajın şifreli değil de normal şekilde yazılmış olduğunu görünce ödü patladı. İki satırlık yazıyı çabucak okuduktan sonra hayretle soludu. "Amca gitti stop Hangi şifreyi kullanıyorsunuz soru işareti Porsuk."

İçini bir sevinç kapladı. "Porsuk!" diye bağırdı. "Canım Porsuk'um, buldun beni." Dünyanın öbür ucunda olsa da artık tamamen yalnız değildi. Bu bilgi zırhını sağlamlaştırıp yaralı kalbini kuvvetlendirmişti. Pirinç kâğıdını ağzına atıp çiğnedi ve yuttu. Sonra coşan duygularını kontrol etmeye çalışarak göl kıyısının resmini yapmaya başladı, arka planda Wieskirche çan kulesi görünüyordu. Sonra, Otto'nun onu gözetlemek için kimseyi göndermediğinden emin oldu ve defterin köşesinden bir parça kâğıt koparıp düzgün büyük harflerle yazmaya başladı: "MACMILLAN İNGİLİZCE SÖZLÜK TEMMUZ 1908 BASKISI STOP İLK SAYISAL GRUP SAYFA STOP İKİNCİ SAYISAL GRUP SÜTUN STOP SON SAYISAL GRUP EN ÜSTTEKİ KELİME STOP." Durup duygularını doğru dürüst ifade edebilecek sözler düşündü. Sonunda, "SONSUZA KADAR KALBİMDESİN" yazdı. İmza eklemedi. Kâğıdı katladı ve dikkatle duvarın tepesindeki taşın altında bulunan nişe sakladı. Kız bunu telgrafla Bay Goolam Vilabjhi'ye iletecek ve yarın akşama kadar Porsuk, Nairobi'de okumuş olacaktı. Başını önüne eğip resim çizermiş gibi yaparak bir süre daha oturdu, ama içindeki duygular yeni açılmış bir Dom Perignon gibi fokur fokurdu.

Yüksek sesle, "Afrika'ya ve sevdiğim adama dönsem," dedi. "Tek arzum bu. Lütfen sevgili Tanrım, bana merhamet et."

Leon sabahı Hugh Delamere ve diğer subaylarıyla toplantı yaparak geçirdi. Ufak tefek adam kendini bütün kalbiyle küçük birliğini kurmaya ve eğitmeye adamıştı. Daha şimdiden iki yüzden fazla asker yetiştirmiş ve hepsine kendi cebinden at ve teçhizat sağlamıştı. Delamere bütün kolonide enerjisi ve heyecanıyla ün kazanmıştı, ama ona adımlarını uydurmak yorucuydu. Alayını zorla ya da güzellikle savaşa hazır hale getirmek iki haftadan az vaktini almıştı ve şimdi dövüşecek düşman bulmak istiyordu. Ve bunu da Leon'dan istiyordu.

"Elimizdeki tek pilot sensin Courtney. Alman sınırımız hem uzun hem de bitki örtüsü çok sık. Von Lettow'la *askari*'lerinin her hareketini izlemenin en iyi yolu bence de uçak. Görev senindir. Benim tahminime göre, Arusha'daki ana Alman üssünden zorlu bir yürüyüşle Rift Vadisi'ni geçerek ulaşmaya çalışacak Nairobi'ye. Percy Kampı'ndan düzenli keşif uçuşları yapmanı istiyorum. Bölgene gelen filleri takip etmek için Masai *chungaji*'lerinden oluşan bir haberleşme ağı kurduğunu da biliyorum. Çocuklara söyle şimdilik fildişlerinden çok Almanlarla ilgileniyoruz."

Öğle vakti olduğunda Leon'un defteri lort hazretlerinin emir ve talimatlarıyla yarı yarıya dolmuştu. Delamere tam ikide tekrar toplanma talimatıyla subaylarına öğle yemeği izni verdi. Lort hazretleri de yemeğine ve siestasına düşkün olduğundan, iki saatlik süre kulüpte bir öğle yemeği yiyip tekrar emir bombardımanına tutulmak için vaktinde toplantıda olmaya yetecekti. Fakat dışarı çıktığında Latika bankanın önündeki at bağlama yerinde onu bekliyordu. Atına şeker yedirmekle meşguldü ve bu durum ikisinin de hoşuna gidiyordu.

"Merhaba lolipop. Buraya beni görmeye mi geldin yoksa atımı mı?"

"Babam bunu size vermemi istedi." Önlüğünün cebinden mühürlü bir zarf çıkarıp uzattı. Sonra durup zarfı açışını ve telgrafı okuyuşunu seyretti. Hevesle, "Sizi seven birinden mi gelmiş?" diye sordu.

"Nereden anladın?"

"Siz de onu seviyor musunuz?"

"Evet çok."

Latika, "Unutmayın, ben de sizi seviyorum," diye fısıldadı ve Leon, kızın ağlamak üzere olduğunu gördü.

"O zaman seni eve kadar atla götürmeme bir şey demezsin değil mi?"

Latika burnunu çekti ve olası isyanını unuttu. Babasının dükkânına kadar Leon'un arkasında şakıdı durdu.

Bay Goolam Vilabjhi onları karşılamak için kaldırıma çıkmıştı. "Hoş geldiniz! Hoş geldiniz! Bayan Vilabjhi de öğle yemeği için dünyaca ünlü körili tavuğuyla safranlı pilav yapmıştı. Siz de bizimle yemezseniz çok kızar ve üzülür."

Bayan Vilabjhi ile kızları sofraya son dokunuşları yaparken Leon kütüphanenin önüne gidip kitaplara göz gezdirdi. Sonra tatminkâr bir şekilde homurdanıp Macmillan İngilizce Sözlüğü'nü en üst raftan aldı. "Bir süreliğine ödünç alabilir miyim bunu?" diye sordu.

Bay Vilabjhi parmağıyla burnunu kaşıdı ve bilmiş bilmiş baktı. "General Ballantyne da onlardan birini hep masasında tutardı. Ne zaman İsviçre'den telgraf getirsem ilk ona uzanırdı. Belki de Hanım Sahip von Wellberg şifreyi göndermiştir size." Sonra iki eliyle kulaklarını kapatıp, "Ama sakın bana söylemeyin," dedi. "Ben şeytanı duymayan maymun gibiyim. Biz gizli ajanlar daima ketum olmalıyız."

Yemek çok güzeldi, ama Eva'ya cevabını yazmak için sabırsızlanan Leon güçlükle yedi. Kızlar sofrayı toplar toplamaz da kendini Bay Vilabjhi'nin ofisine kapadı ve yirmi dakika içinde Eva'ya gönderilecek mesajı hazırladı. Ateşli bir aşk ilanıyla başlamış, sonra Penrod'un yokluğunu açıklamış ve, "Amcamın Kahire'ye tayin olmasıyla karanlıkta kaldım stop Elindeki tüm bilgilere ihtiyacım var stop Sonsuz aşkımla stop Porsuk," diye bitirmişti.

Dört gün sonra Eva'nın cevabı geldi. Bay Vilabjhi'nin ofisinde oturup şifreyi çözdü. Eva, Otto ve Hennie ile Alman Bölgesi'ne uçtuklarında von Lettow Vorbeck ve Koos de la Rey'le yapılan görüşmeyi özetlemişti. Savaş patlayınca Güney Afrika'da başlatılacak isyanı anlatıp de la Rey'in istediği ve Graf Otto'nun yollamaya söz verdiği şeylerin listesini yapmıştı.

İstenenleri okuyunca Leon bir ıslık çaldı. "Beş milyon Alman markı değerinde altın sikke! Bu da neredeyse iki milyon sterlin eder. Bırak sadece ucunu tüm kahrolası Afrika kıtasını satın almaya yeter." Bay Vilabjhi'nin koltuğuna yaslanıp böyle bir planın başarıya ulaşması durumunda gelişecek olayları düşündü. Hennie du Rand'ın derinlere kök salmış öfkesini ve acısını hatırlamıştı, hepsi de eğitimli ve savaş görmüş daha yüz bin Boer vardı onun gibi. Bu şartlarda bütün ülkeyi üç günde ele geçirirlerdi. Bu komplo gerçekleşmemeliydi. Ama onu önleyebilecek bir yolları var mıydı?

Kapıda Bay Goolam Vilabjhi belirdi. "Şimdi bir mesaj daha geldi." Masaya yaklaşıp zarfı bıraktı.

Leon çabucak şifreyi çözdü ve arkasına yaslandı. "Zeplin! Gemi değil, lanet olası kocaman bir zeplin ve benim küçük sevgilim tüm uçuş rotasını ele geçirmiş. Tabii bir de ne zaman gelmeyi planladıklarını söyleyebilse.

Kahvaltı bitince Graf Otto konuklarını şatonun kapısında duran beş tane devasa Meerbach limuzine götürdü. Berlin'deki Harp Dairesi'nden eşleriyle birlikte beş tane yüksek rütbeli subay gelmişti. Kadınlar at yarışlarına gidiyormuş gibi güneş şemsiyelerini alıp tüylü şapkalar takmışlardı, erkekler ise süslü üniformalarını giymişti. Kılıçları bellerinden sarkıyor, göğüslerini madalyalar ve elmas kakmalı bröveler süslüyordu. Hiyerarşi o kadar önemliydi ki hepsini doğru sırayla araçlara bindirmek oldukça uzun sürmüştü, ama sonunda Eva kendini donanmadan bir amiral ve onun at gibi heybetli karısıyla üçüncü arabada buldu.

Ana Meerbach fabrikası yirmi dakikalık bir mesafedeydi ve fabrikanın girişine yaklaşırken öndeki limuzinin direksiyonunda olan Graf Otto kornasını çaldı. Çift kanatlı kapı hemen açıldı ve konvoy geçerken silahlı nöbetçiler hazır ola geçip selam durdular.

Eva, Meerbach mühendislik imparatorluğunun merkezindeki bu kaleye ilk kez geliyordu. Fabrika neredeyse on iki kilometrekarelik bir alana yayılmaktaydı. Yollara parke taşı döşenmişti ve yönetim binasının önündeki meydanda bulunan muhteşem mermer fıskıyeden on beş metre havaya su fışkırmaktaydı. Zeplinlerin barındığı üç hangar kompleksin en uzak köşesindeydi. Eva bu kadar büyük olduklarını bilmiyordu: Gotik katedraller kadar yüksek ve geniş görünüyorlardı.

Grup arabalardan inip ana binanın yüksek döner kapılarından geçerek, Meerbach amblemli şemsiyelerin altındaki koltuklara doğru yürürken hava güneşli ve ılıktı. Herkes yerleşince beyaz ceketli üç garson, tekerlekli servis arabalarıyla gümüş tepsiler içinde kristal şişelere konmuş şampanyalar getirdi. Herkes kadehini eline aldıktan sonra Graf Otto kürsüye çıkıp kısa, ama öz bir hoş geldin konuşması yaptı. Sonra da zeplinlerin ileriki yıllarda oynayacağı rol hakkında kendi görüşlerini anlattı.

"Havada uzun süre kalabilmeleri en önemli özellikleri. Artık Atlantik Okyanusu'nu kesintisiz aşmak bizim için mümkün. Zeplinler yolcu, hatta yüz yirmi tonluk bomba yüklü olarak üç günden az bir sürede Almanya'dan New York'a ulaşabilir. Yakıt almadan geri dönebilir. Olasılıklar insanın başını döndürüyor. İngiliz Kanalı sürekli havadan gözlenebilir ve düşman filosunun durumu telsizle Berlin'e bildirilir." Çok fazla teknik ayrıntıya girerek yarısı kadın olan dinleyicilerini sıkmayacak kadar akıllı bir pazarlamacıydı. Konuları geniş tutuyor, canlı ve renkli bir üslupla anlatıyordu. Eva bu konuşmanın yedi dakika süreceğini biliyordu, çünkü Otto ortalama bir dinleyicinin ilgi süresini uzun zaman önce hesaplamıştı. Elmas kakmalı altın saatine bakarak zaman tuttu. Sadece kırk saniyelik bir sapma olmuştu.

"Sevgili dostlarım ve değerli konuklarım." Hangarın devasa kapısına döndü ve açılış yapacak orkestra şefi gibi kollarını açtı. "Sizlere *Assegai*'yi takdim ederim!" Kapı kayarak açıldı ve muhteşem manzara ortaya çıktı. Konuklar ayağa fırlayıp alkışlamaya başladılar. Karşılarındaki canavar otuz üç metre yüksekliğindeydi ve hangarın tamamını kaplamıştı. Burnuna üç metrelik kırmızı harflerle *Assegai* yazılmıştı. Graf Otto bu adı Afrika'daki aslan avının anısına seçmişti. Zeplin dikkatle "ağırlıksız" hale getirilmiş olduğu için, hidrojen dolu gaz tankları yükselince gövdesinin 75 tonluk ölü ağırlığı kusursuz bir şekilde dengeleniyordu. On tane adam, zeplini yerdeyken üstünde durduğu karinası boyunca yerleştirilmiş tampondan kaldırınca izleyiciler hayretle nefeslerini tuttular. Adamlar geminin yanında devasa bir denizanasına tırmanan karıncalar gibiydi.

Zeplini ağır ağır yüksek kapılardan geçirip açık havaya çıkardılar ve güneşte göz kamaştırıcı bir şekilde parlamaya başladı. Yavaş yavaş tüm gövdesi ortaya çıktı. Adamlar sahanın ortasındaki sağlam bağlama kulesine kadar götürdüler ve burun kısmından bağladılar. Karaya vurmuş bir balina gibiydi, asıl boyutları şimdi ortaya çıkmıştı. Futbol sahasının iki katı büyüklüğündeydi, baştan kıça iki yüz kırk metreydi. Dört adet devasa Meerbach devir motorunun altındaki çelik kollardan sarkan gemi şeklindeki sepete yerleştirilmişti. Geminin gövdesi boyunca uzanan merkez iskele sayesinde ana kabinden onlara ulaşmak mümkündü. İki tanesi baş kısma, ikisi de kıç tarafa yerleştirilmişti, böylece geminin havadayken dönmesine yardım edebiliyorlardı. Bütün taşıyıcı kollarda aşağı ulaşan birer merdiven vardı. Bu sayede görevli teknisyen oraya inip bakım onarım yapabiliyor, ya da köprü üstünden gelen değişiklik taleplerini karşılayabiliyordu. Pervaneleri lamine ahşaptandı ve her birinin altı ağır kolunun dış kenarı bakır kaplıydı.

Karina, gövde boyunca uzanan bir tünel vazifesi görüyordu. Gemi personeli bu tüneli kullanarak girip çıkıyor veya gerektiğinde yakıt, yağ, hidrojen ve su pompalanıyordu. Uçuş sırasında zeplinin kaplaması öne veya arkaya sıvı pompalanacak şekilde ayarlanabiliyordu.

Kumanda bölümü burnun altında, en öndeydi. Oradan kaptan ve seyir subayı gemiyi yönetiyorlardı. Uzun yolcu bölümü ve yük bölmeleri ağırlığın eşit olarak dağıtıldığı orta bölümün altındaydı.

Graf Otto konuklarının eserine hayran hayran bakması için yeterince zaman tanıdıktan sonra herkesi gemiye davet etti ve lüks salonda toplandılar. Uzun salonun dış duvarları boyunca camlı seyir pencereleri uzanıyordu. Konuklar deri kaplı rahat koltuklara gömüldüler, onlar üç gruba ayrılırken kamarotlar tekrar şampanya servisi yaptı. Sonra Graf Otto, Lutz ve Ritter herkesi tura çıkardı, arada belli başlı özellikleri izah ediyor, soruları yanıtlıyorlardı. Tur bitince istiridye, havyar ve tütsülenmiş somondan oluşan öğle yemeklerini yiyip biraz daha şampanya içtiler.

Yemek bitince Graf Otto neşeyle, "Daha önce uçmuş olanınız var mı?" diye sordu.

Tek elini kaldıran Eva olmuştu.

"Ah zo!" Güldü. "Bugün bu durumu değiştireceğiz." Lutz'a baktı. "Kaptan, lütfen değerli konuklarımıza Bodensee üstünde bir tur attırın." Lutz motorları çalıştırırken herkes çocuklar gibi konuşup gülüşerek seyir pencerelerinin önüne üşüştü. *Assegai* çalıştı ve bağlantı halatlarının üstünde hevesle titreşti. Sonra yavaşça yükselmeye başladı.

Lutz, onları Friedrichshafen'e kadar götürüp gölün ortasında bir tur attırdı. Altlarında masmavi göl vardı ve İsviçre Alpleri'nin kar ve buzulları güneşte ışıl ışıl parlıyordu. Sonra zeplin Wieskirche fabrikasına döndü ve yerden üç bin fit yüksekte durdu. O sırada Graf Otto hiç beklenmedik bir şekilde kumanda kabininden salona döndü ve konukları ağızları açık bakakaldılar: sırtında bir kayış düzeneğiyle tutturulmuş ağır bir sırt çantası vardı.

"Hanımlar beyler, şimdiye kadar *Assegai*'nin sürprizlerle ve mucizelerle dolu olduğunu anlamışsınızdır. Sizlere sunacağım bir sürpriz daha var. Sırtımdaki bu teçhizatı Leonardo da Vinci dört yüz yıl önce hayal etmiş. Ben de onun fikrini alıp gerçeğe dönüştürdüm ve bu çantanın içine sığdırdım."

Kadınlardan biri, "Nedir o?" diye sordu. "Çok ağır ve rahatsızmış gibi görünüyor."

"Bizler buna *Fallschirm* diyoruz, ama Fransızlar ve İngilizler paraşüt olarak biliyor."

"Ne işe yarıyor?"

"Tam isminin anlattığı gibi düşüşünüzü yavaşlatıyor." İki gemi mürettebatına dönüp başını salladı. Adamlar iterek giriş kapılarını açtı. Kapıya en yakın duran konuk ürküp geri çekildi.

"Hoşça kalın sevgili dostlarım! Sakın beni unutmayın." Otto koşarak kabini geçti ve kendini açık kapıdan aşağı fırlattı. Kadınlar çığlıklar atarak elleriyle ağızlarını kapadılar. Sonra seyir penceresine koştular ve dehşet içinde hızla aşağı düşen Graf Otto'ya baktılar. Sonra, aniden, sırtındaki ağır çantadan uzun beyaz bir bez fışkırdı, şak diye açıldı ve devasa bir mantara benzedi. Graf Otto'nun ölümcül düşüşü aniden durmuş ve mucizevi bir şekilde doğa kanunlarına aykırı bir şekilde havada asılı kalmıştı. Seyircilerin dehşeti hayranlığa, ümitsiz feryatları tezahürat ve alkışa dönüştü. Hafifçe süzülen Otto'nun yere inip yuvarlanışını, o beyaz çarşafa dolanışını izlediler. Graf Otto çarşaftan hızla kurtulup ayağa fırladı ve onlara el salladı.

Lutz zeplinin ana hidrojen tanklarının valflarını çevirdi ve gemi yüksekten uçan bir kazın göğsündeki tüy gibi yumuşakça inişe geçti. Karinasının altındaki tamponun üstüne oturdu ve yer ekibi halatları bağlamak için koşturdu.

Salonun kapıları açıldığında Graf Otto eşikte durmuş konuklarını karşılamayı bekliyordu. Etrafına üşüşüp elini sıktılar ve kutladılar. Sonra yine arabalara binip konvoy halinde şatoya döndüler, heyecanlı kahkahaları ve Graf Otto'nun bu olağanüstü başarısına yağdırdıkları övgüler ormanda yankılanıyordu.

O geceki yemek ana salonda, gerektiğinde iki yüz elli kişi alabilen uzun ceviz masada yenen resmi bir davetti. Yukarıdaki bir galeride orkestra hafif parçalar çalıyordu. Meşe kaplama duvarlar yüzyılların etkisiyle perdahlanmıştı ve üzerlerinde von Meerbach'ın atalarının portreleri, av sahneleri, çatal çatal boynuzlar ve yabandomuzu dişleri asılıydı.

Erkekler merasim üniforması giyip kılıç kuşanmış, madalyalarını takmıştı. Hanımlarsa ipekler, satenler ve ışıl ışıl mücevherlerle göz kamaştırıyordu. Eva von Wellberg güzelliği ve şıklığıyla hepsinden daha üstündü ve bu gece Otto, ona karşı alışılmadık bir düşkünlük gösteriyordu. Her fırsatta ta karşıdan onunla konuşuyor, bir anısını anlatırken onu da katıyor, tartışılan konu üstünde fikir sorup, onay istiyordu.

Orkestra Strauss valslarına başlayınca Eva'ya tamamen el koydu. İriyarı bir erkek olarak Otto'nun ayakları çok hafifti ve büyük bir Afrika bizonunun görüntüsüne sahipti. Kollarının arasında Eva gölden esen meltemle eğilip bükülen sazlar gibi zarif ve narin kalıyordu. Otto çarpıcı bir çift olduklarının farkındaydı ve pistte, hayranlık dolu bakışlarının tadını çıkarıyordu.

Gecenin bitmesine yakın, bir trompetçi gelip dikkatleri üstüne çekti. Sonra orkestra ve hizmetkârlar salondan gönderildi. Uşak da pencereleri ve kapılara kapattıktan sonra son kapıyı da kendi arkasından kapatarak çekildi. Ses geçirmez kapılara silahlı nöbetçiler dikilmişti ama seçkin topluluk yalnızdı. Otto zaferini kutlamak için dayanılmaz bir istek duyuyordu. Başarılarının salondaki herkes tarafından bilinmesini ve onların övgü dolu sözlerini duymayı istiyordu.

Nihayet orada bulunan en kıdemli subay, Oramiral Ernst von Gallwitz, ev sahibinin konukseverliğine teşekkür etmek, Wieskirche'de yarattıkları teknoloji harikalarını övmek üzere ayağa kalktı. Sonra da bu anı akıllıca kullanarak, "Bütün dünya ve düşmanlarımız yakında Graf Otto'nun mucizevi eserinin bir gösterisine tanık olacak," dedi. "Burada dostlar arasında olduğumuza göre, muhterem önderimiz Kayzer II. Wilhelm'in bu olağanüstü makineye ta en başından beri büyük bir ilgi gösterdiğini söyleyebilirim. Yemek için üstümüzü değiştirirken kendisine telefon edip bugün burada gördüklerimizi rapor etme fırsatım oldu. Şimdi de majestelerinin Graf Otto'ya derhal düşmanımızı dehasıyla şaşırtacak bir planı yürürlüğe koyması için koşulsuz yetki verdiğini zevkle açıklıyorum."

Masanın başındaki Graf Otto'ya döndü. "Hanımlar beyler, aramızda oturan bu adamın kelimenin tam anlamıyla bu savaşın kaderini elinde tuttuğunu söylemek abartılı olmaz. Kendisi destansı bir yolculuğa başlamak üzere, ki bunu başarıyla tamamlarsa düşmanın hiç haberi olmadan bütün bir kıtayı avucumuza almış olacağız."

Graf Otto alkışları kabul etmek üzere ayağa kalktı. Gururla ışıldıyordu ama oramirale yaptığı kısa teşekkür konuşması mütevazı ve kendi önemini hafife alan bir konuşmaydı. Bu yüzden ona daha çok hayran oldular.

Çok sonra, şatoda Otto'nun özel kanadında yatmaya hazırlanırken Eva onun kendi banyosunda şarkı söylediğini duydu, arada sırada da bir kahkaha patlatıyordu.

Onun ruh haline uygun olarak üstüne en baştan çıkarıcı saten geceliklerinden birini giydi. Saçını açıp taramaya başladı. Bundan hoşlandığını biliyordu. Sonra da ustaca rimel sürüp yüzüne dalgın ve üzgün bir ifade verdi. Bunları yaparken aynadaki görüntüsüne, "Senin henüz haberin yok, ama nereye gittiğini biliyorum ve ben de seninle Afrika'ya... ve Porsuk'a dönüyorum sevgili Otto," diye fısıldadı.

Otto yatak odasına girdiğinde üzerinde Eva'nın daha önce hiç görmediği bir ropdöşambr vardı. Dolaplar dolusu giyilmemiş kıyafeti olduğu için şaşılacak bir durum sayılmazdı, öyle ki kıyafetleriyle başa çıkmak için dört tane vale görevlendirilmişti. Bunların yarısı hiç giyilmemişti. Üzerindeki sabahlık altın rengi ve imparatorluk moruydu, astarı kırmızıydı ve etekleri neredeyse yerleri süpürüyordu. Bütün şaşaasına rağmen Otto üstünde rahat bir tavırla taşıyordu. Hâlâ günün başarısıyla havalarda uçar vaziyetteydi, bağışlanan onurun ve alkışların etkisi altındaydı. Otto'da bu durum kaçınılmaz olarak başka yerlere vuruyordu ve Eva ipek pijamasının altında erkekliğinin kabardığını görebiliyordu.

Kendisiyse odanın ortasında trajik bir vaziyette beklemekteydi. Birkaç saniye Otto, onun bu halini fark etmemiş gibi göründü, ama onu kollarına alıp göğüslerini sıkıştırmaya başlayınca soğukluğunu algılayıp yüzüne bakmak üzere geri çekildi. "Canını sıkan nedir aşkım?"

"Yine uzaklara gidiyorsun ve bu sefer seni sonsuza kadar kaybedeceğimi biliyorum. Geçen sefer neredeyse aslanlara yem olacaktın, beni de o vahşi Nandi'ler kaçırdı. Şimdi yine feci bir şeyler olacak." Menekşe gözlerinden yaş gelmesini sağladı. "Beni bir daha bırakamazsın," diye hıçkırdı. "Lütfen! Lütfen gitme!"

"Gitmek zorundayım." Şaşırmış ve anlayamamış gibiydi. "Biliyorsun ki kalamam. Bu benim görevim ve söz verdim."

"O zaman beni de götürmelisin. Beni bırakıp gidemezsin."

"Seni de mi götüreyim?" Tamamen kafası karışmıştı. Bu fikir aklına hiç gelmemişti.

"Evet! Evet Otto lütfen! Niye seninle gelmeyeyim ki?"

"Anlamıyorsun. Bu tehlikeli bir iş," dedi. "Çok tehlikeli."

"Daha önce de sen yanımdayken tehlikelerle karşılaştım. Ama seninleyken ben güvendeyim Otto. Burada çok daha fazla tehlikede olacağım. Çok geçmeden İngilizler uçaklarını yollayıp bizi bombalayabilirler."

Graf Otto, "Saçmalık!" diye dalga geçti. "Ancak bir zeplin uçabilir buraya kadar. İngilizlerin zeplini yok." Fakat düşüncelerini toplamak için uzaklaştı.

Hayatında ilk kez emin olamıyordu. Bunca yıldır, Eva'nın maddi menfaatler dışında niye bunca zamandır yanında olduğunu sorgulamaya hiç cesaret edememişti. Fakat artık onlar bile bıktırmış olmalıydı. Bunun ardında daha zorlayıcı bir sebep vardı mutlaka. Bu daha derin sebepleri bilmeyi hiç istememişti, çünkü erkekliğini yaralayabilirdi. Çok uzun zamandır dilinin ucunda duran soruyu sormadan önce genç kadının gözlerine baktı. "Sen hiç söylemedin ben de sormaya hiç cesaret edemedim, benim için aslında ne hissediyorsun Eva, kalbinde?"

Eva zaman içinde bu soruyla karşılaşacağını biliyordu. Vermesi gereken cevaba kendini hazırlamıştı ve o kadar çok prova etmişti ki içten ve inandırıcı bir şekilde dile getirebilirdi.

"Buradayım çünkü seni seviyorum ve sen istediğin sürece yanında olmak istiyorum." Graf Otto ilk defa çocuksu bir şekilde kırılgan görünüyordu.

Yumuşak ama derinden iç geçirdi. "Teşekkür ederim Eva. Bu sözlerin benim için anlamını asla bilemezsin."

"Yani beni de götürecek misin?"

"Evet." Başını salladı. "İkimiz de hayattayken ayrı kalmamıza gerek yok. Elimde olsa seninle evlenirdim. Bunu biliyorsun."

"Evet Otto. Ama bunu bir daha konuşmama kararı almıştık." İki oğlunun annesi ve hemen hemen yirmi yıldır karısı olan Athala hâlâ evlilik yeminini bozmayı kabul etmiyordu... Tanrı biliyordu ki Otto bunun için çok uğraşmıştı. Gülümseyip omuzlarını dikleştirdi. Her zamanki coşku ve özgüveninin yerine geldiğini görebiliyordu. "O zaman eşyalarını topla. Zafer töreni için güzel bir elbise de al," dedi. "Afrika'ya dönüyoruz."

Eva koşup parmak uçlarında yükselerek onu dudağından öptü. Bu seferlik purosunun tadından bile iğrenmemişti. "Afrika'ya mı? Ah Otto, ne zaman gidiyoruz?"

"Yakında, çok yakında. Bugün sen de gördün, zeplin neredeyse hazır. Mürettebat eğitimini tamamladı ve kendisinden bekleneni gayet iyi biliyor. Artık her şey ayın hareketine ve havayla rüzgâr tahminlerine bağlı. Ritter gece gündüz yol yapacak ve dolunaya ihtiyacı var. Dolunay eylülün dokuzunda ve biz de bu tarihin üç gün öncesiyle üç gün sonrası arasında yola çıkacağız."

Eva gecenin büyük bölümünü Otto'nun horultularını dinleyerek uykusuz geçirdi. Adam arada bir kendi horultusunun şiddetinden sıçrayarak uyanıyor ama sonra tekrar uykuya dalıyordu. Eva gitmeden önce yapması gerekenleri düşünecek fırsatı olduğu için memnundu. Leon'a son bir mesaj gönderip Otto'nun *Assegai*'yi Boer'lere vereceği silah ve mühimmatla dolu olarak Afrika'ya getireceğini; rotasının da çok büyük bir ihtimalle Nil ve Rift Vadisi üstünden güneye doğru olacağını doğrulamalıydı.

Assegai'nin geliş tarihini de bildirince Leon'un görevi, her ne pahasına olursa olsun bu gemiyi durdurmak olacaktı. Yalnız Eva'nın şu an içinde bulunduğu ikilem kendisinin de zeplinde olacağını söyleyip söylememekti. Eğer Eva'nın da gemide olduğunu bilirse onu koruma düşüncesi kararlılığını etkileyebilirdi. Söylememeye karar verdi, gerekirse her ikisi de masmavi Afrika göklerinde hayatlarını tehlikeye atacaklardı.

Büyük Dünya Savaşı'nın patlak vermesi bir kalem darbesiyle veya hayati bir beyanatla olmadı. Vagonların üst üste bindirerek büyük bir enkaz yarattığı bir tren kazası gibi oldu. Ortak anlaşmalar gereği Avusturya Sırbistan'a; Almanya, Rusya ve Fransa'ya ve son olarak da 4 Ağustos 1914'te Britanya, Almanya'ya savaş ilan etti. Lusima'nın öngördüğü ateş ve duman bütün dünyaya yayıldı.

Daha yeni birleşmiş olan Güney Afrika nüfusu yeniden bölündü. Louis Botha, zamanında eski Boer Ordusu'nun komutanlığını yapmıştı ve General Jannie Smuts da onunla birlikte Britanya İmparatorluğu'nun birleşik kuvvetlerine karşı çarpışmıştı. Boer liderleri İngilizlerden nefret ediyordu ve savaşta Kayzer Almanya'sının yanında yer almaktan yanaydı. Louis Botha kararı parlamentodan kıl payıyla çıkartabilmiş ve Londra'ya bir telgraf çekerek İngiliz Hükümeti'ne Güney Afrika'daki tüm kuvvetlerini çekebileceklerini, çünkü kendisinin ve ordusunun kıtanın güney yarısını Almanlara karşı savunacağını bildirmişti. Londra da teklifi kabul etmiş ve sonra Botha'dan, komşusu olan Alman Güneybatı Afrikası'nı işgal edip Luderitzbucht ve Swakopmund'daki telsiz istasyonlarını ortadan kaldırmasını istemişti. Bu istasyonlar Berlin'e sürekli bilgi akışı sağlıyor, güney Atlantik'teki Kraliyet Donanması'nın tüm hareketlerini duyuruyordu. Botha bunu hemen kabul etti ama o sırada kendi adamları arasında kanlı bir ayaklanma süreci başlamıştı.

Botha, Üçlü Otorite diye bilinen üç eski Boer lideri ve kahramanından sadece bir tanesiydi. Diğer ikisi de Christiaan de Wet ve Herculaas "Koos" de la Rey'di. De Wet şimdiden Almanlardan yana olduğunu bildirmiş ve bütün adamları da peşinden gitmişti. Kalahari Çölü'nün kenarındaki müstahkem kamplarına çekilmişlerdi ve Botha henüz onları devirecek bir güç göndermemişti. Bunu yaptığında isyan bütün şiddetiyle başlayacak ve iç savaşın açlıktan gözü dönmüş hayvanları kükreyerek kafeslerinden çıkacaktı.

De la Rey henüz açıkça Botha ve Britanya'ya karşı çıkmış olmasa da, bunu yapmasının an meselesi olduğundan kimsenin kuşkusu yoktu. Almanya'dan, *Assegai*'nin imdadına yetişmekte olduğu haberini beklediğinden şüpheleniyorlardı. Bu haber, hemen Güney Afrika sınırındaki Swakopmund'da bulunan güçlü telsiz istasyonuna ulaştırılacaktı.

Wieskirche'de ise *Assegai* son yüklerini almakla meşguldü. Graf Otto von Meerbach ve Tuğgeneral Alfred Lutz bütün gece yük manifestosuyla uğraşmışlardı. Hesapların çoğu tahmin ve içgüdüye dayanıyordu: bugüne kadar hiçbir insanoğlu yaz mevsiminde, hava sıcaklığının öğle vakti elli beş dereceyken gece yarısı sıfıra düştüğü bir dönemde Sahra Çölü'nü zeplinle geçmiş değildi.

Assegai'nin toplam gaz hacmi yetmiş bin metreküp, ama yaktığı yakıtın ağırlığını dengelemek için her gün bunu büyük miktarda kullanmak zorundaydı. Aksi takdirde fazla hafifler ve kontrolsüz bir hızla daha yükseklere tırmanırdı; içindekiler ise soğuk ve oksijensizlikten ölürdü. Ana tanklar ağzına kadar iki yüz yirmi beş bin litre yakıt, iki bin beş yüz litre yağ ve on iki bin beş yüz litre suyla doluydu. Yirmi iki erkek ve bir kadından oluşan mürettebat özellikle sınırlı tutulan şahsi eşyaları da 1950 kilo ağırlığındaydı. Bu durumda teorik olarak 17.900 kilo daha yük alabiliyordu. Fakat sonunda Graf Otto biraz daha külçe altın alabilmek için 3500 kiloluk havan topundan feragat etti. Sonuçta ibreyi lehlerine çevirecek olan ağırlık buydu.

Bütün sikkeler on sekiz ayar altındandı. Hemen hemen eşit miktarda İngiliz altını ve on marklık Alman altını vardı. Para önce küçük çuvallara konmuş, bunlar da sağlam cephane sandıklarına yerleştirilip kapakları sıkıca kapatılmıştı. Toplam 220 sandık vardı. Her sandıkta kuyumcu tartısıyla tartıldığında 110 sterlin değerinde altın vardı. Bu, safari sırasında Afrikalı bir hamalın taşıdığı ağırlığa denkti. Tarihte altının değeri her zaman Amerikan Doları ile ölçülmüştür ve onlarca yıldır 31 gram yirmi bir dolara eşitti. Graf Otto hızlı hesap yapan biriydi: taşıdığı yük dokuz milyon dolar değerindeydi ve savaş yüzünden döviz piyasaları altüst olsa da, iki milyon sterline eşdeğerdi.

"Bu tutar Boer'leri uzun süre tatlı tatlı gülümsetmeye yeter!" Hamalların sandıkları *Assegai*'nin ana salonuna yüklenmesine bizzat nezaret etti ve hepsini tek tek yerdeki halkalı cıvatalara bağladı. Üstlerine de cephane ve Maxim makineli tüfek sandıklarını yerleştirtti.

Son sandık da emniyete alındıktan sonra mürettebatın işini yapmak için kullanabileceği çok az boşluk kalmıştı. Graf Otto bu sorunu hafifletmek için kamaralar arasındaki bölmelerin sökülmesini ve ranzaların çıkartılmasını emretti. Mürettebat ahşap zeminde uyumak zorunda kalacaktı. Kendisi de harita ve telsiz odalarının bölmelerini söküp kumanda kabinine gitti. Üç tuvalet de söküldü ve yirmi üç kişiye tek tuvalet bırakıldı. Erkeklerle kadınlar, kıdemli subaylar ve aşçı hep aynı tuvaleti kullanacaktı. Çamaşırhane iptal edildi ve mutfak yarıya indirildi. Kahve, çorba ve sabahları yulaf ezmesi için küçük elektrikli ocak yeterliydi, ama başka sıcak yemek olmayacaktı. Süt yerine süt tozuyla idare edilecek, sosis, soğuk et ve sert bisküviyle eksikler telafi edilecekti. Zeplinde içkiye izin vermiyordu. Bu gemide her şey sadece ihtiyaç düzeyindeydi.

Hareketten önceki son akşam yemeği, zeplinin devasa gümüş gövdesi altında verilen bir davetti. Üniformalı bir şoför tarafından kullanılan bir Meerbach limuzinle Eva'yı son anda şatodan getirdi. Uçuş çizmelerini, eldivenlerini giymiş ve gözlüklü başlığını takmıştı. Şoför yegâne valizini zepline götürdü.

O gelene kadar mürettebat Eva'nın da onlarla geleceğinden habersizdi. Güzelliği ve sevimliliği bütün gönülleri fethettiği için gelişini içten bir sevinçle karşıladılar. Hennie du Rand, onu *SS Admiral* gemisiyle Afrika'dan dönüşlerinden beri görmemişti. Kaba saba bir toprak adamı olduğu halde başıyla selam verip elini öptü. Arkadaşları tezahürat yapınca da okul çocuğu gibi kızardı.

Bu hali Eva'ya dokunmuş ve Boer generaliyle yaptıkları toplantıda geçenleri anlamazmış gibi yaparak onu aldattığı için suçluluk duygusuna kapıldı.

Graf Otto seslenince yemek masasının başına gitti. Graf Otto, onu gezinin maskotu olarak tanıştırdı. Davette bulunanlar alkışlarla tezahüratta bulundular. Herkes mutlu ve heyecanlıydı, bu destansı yolculuğa çıkmak için sabırsızlanıyorlardı.

Tabaklar leziz Bavyara yemekleriyle doluydu. Sadece içki kısıtlıydı: Graf Otto göklerde seyrederken herkesin ayık olmasını istiyordu. İçilen içki de hafif bir biraydı, içinde alkol olduğu bile pek anlaşılmıyordu.

Saat tam dokuzda Graf Otto ayağa kalktı. "Ah zo! Dostlarım Afrika'ya doğru yola koyulma vakti geldi." Yine bir alkış koptu, sonra mürettebat gemiye koştu ve herkes görevinin başına geçti. Gemi ağırlıklarını bıraktı ve bağlama direğine yanaştı. Graf Otto eğreti telsiz odasında Berlin'le son bağlantıyı kurdu. Kayzer bizzat iyi şanslar diledi ve, "Hızınız bol olsun," dedi. Graf Otto da dahili vericiden Tuğgeneral Lutz'a kalkış emri verdi. *Assegai* son bağından da kurtulup yavaşça akşam karanlığına yükseldi ve 155 derecelik bir dönüş yaptı.

Sonraki haftalar o kadar iyi planlanmıştı ki artık konuşulacak bir ayrıntı kalmamıştı. Lutz, Graf Otto'nun kendisinden ve personelinden ne beklediğini gayet iyi biliyordu. Bodensee üstünde on bin fitlik emniyetli uçuş bölgesine yükselirken hiç ışık yakılmadı ve gece yarısından sonra Savona'nın birkaç kilometre batısından Akdeniz'i geçtiler. İtalyan sahil kentlerinin ışıklarını iskele tarafına alarak güneye doğru ilerlemeye başladılar.

Sicilya adasını geçerken arkadan kuvvetli bir rüzgâr esiyordu ve onları hızla Libya çölü üstünden Bingazi'nin batısındaki isimsiz bir kara parçasına doğru sürükledi. Güneş doğarken Eva öndeki seyir pencerelerinin yanında durmuş aşağıdaki dağlara, kum tepelerine vuran devasa gölgelerine bakıyordu. İçinden heyecanla *Afrika!* dedi. *Bekle beni aşkım. Sana dönüyorum.*

Sıcak onlara kadar geliyordu, dağlardan yansıyan güneş ve geminin etrafında oluşan güçlü hava girdapları büyük okyanusları hatırlatıyordu. Zeplin artık daha hafifti çünkü dört güçlü Meerbach motoru üç bin litre yakıtı tüketmişti bile, ama güneş tanklarındaki hidrojeni ısıtıyor, kaldırma güçlerini artırıyordu. Gemi kaçınılmaz olarak yükselmeye başlamıştı ve Lutz altı bin beş yüz metreküp gaz basmak zorunda kaldı. Ancak gemi on beş bin fite kadar yükselmeye devam etti ve içindekiler de oksijen eksikliğinin moral bozucu etkilerini hissettiler. Aynı anda sıcaklık da önemli ölçüde arttı ve kısa zamanda kumanda odasındaki göstergeler 52 dereceyi göstermeye başladı. Motorların soğuması ve sisteme yeni yakıt pompalanabilmesi için dönüşümlü olarak kapatılması gerekti.

Artık altı derecelik açıyla aşağı doğru iniyorlardı. Hızları da yüz seksen beş kilometreden yüz kilometreye düşmüştü ve *Assegai*'nin dengesini tam olarak sağlayamıyorlardı. Sonra ön iskele motor zorlandı ve sustu. Bu ani güç kaybıyla zeplin otuz bin fitten altı bin fite düştü, sonunda dümen tuttu ve karinası düzeldi. Korkutucu bir deneyimdi ve ana kargonun bir kısmı yerinden kurtulmuştu.

Assegai'nin aşırı ısınan hava yüzünden oluşan bu kararsız hali Graf Otto'yu bile sarsmıştı ve Lutz'un yere inip günün kalanını karada geçirdikten sonra seyahate gece devam etme önerisini hiç tartışmadan kabul etti. Luzt çölde yükselen bir kayalık tespit etti, halatlar oraya bağlanabilirdi ve biraz daha hidrojen basarak gemiyi alçaltmaya başladı.

Kayaların arasından bir grup beyaz ihramlı atlı fırladığında çölün sadece dört buçuk metre üstündeydiler. Atlılar dörtnala üstlerine doğru geliyor, bir yandan kıvrık kısa kılıçlarını sallıyor, bir yandan da uzun namlulu tüfekleriyle *Assegai*'ye ateş ediyorlardı. Graf Otto'nun durduğu seyir penceresine bir mermi isabet etti ve adamın üzerine cam kırıkları saçıldı. Öfkeyle küfreden Graf Otto kumanda kabininin önündeki Maxim makineli tüfeği kaptı.

Şarjörü taktıktan sonra ateş açtı ve saldıran Arapların ilk sırası yere devrildi. Üç tane de at, binicisiyle birlikte gitmişti. Bu kez tüfeği sağa doğru döndürerek bir daha ateş açtı. Dört at daha devrildi ve kurtulanlar kaçtılar. Eva ölüleri saydı, yedi kişiydi, ama iki at yeniden ayağa fırlayıp kaçabilmişti.

Graf Otto rahat bir tavırla, "Geri geleceklerini sanmam," dedi. "Saat altıya kadar motorları durdurabilirsin Lutz. Sonra akşam serinliğine uçmaya devam ederiz."

Bay Goolam Vilabjhi'nin Altnau'daki yeğeninden aldığı son telgrafta sadece tek bir sayı grubu vardı. Leon şifreyi çözünce Eva'nın yollamaya söz verdiği tarih olduğunu gördü: *Assegai*'nin Wieskirche'den hareket tarihi. Daha önceki telgraflarında Graf Otto'nun zepline verdiği adı ve seri numarasını iletmişti. *Assegai* bir Mark ZL71'di. Güney Afrika'ya gelmek için kullanacağı rotayı da belirtmişti. Leon bu sayede zeplinin hangi tarihte Rift Vadisi'nde olabileceğini hesaplamıştı. Artık gerekli olan tek şey ufak bir ihtimalle de olsa bu koca zeplini yere indirip personeline ve yüküne el koymayı da mümkün kılabilecek bir eylem planıydı. Penrod gittiği ve Frederick Snell çabalarına engel olabileceği için Leon bu işte tek başınaydı.

Karşısına çıkacak zeplinle ilgili çizimler görmüştü. Graf Otto Almanya'ya dönerken Tandala Kampı'ndaki özel bölümünde bir yığın kitap ve dergi bırakmıştı. Bunlar çoğunlukla mühendislik yayınlarıydı ve bir tanesinde büyük bir zeplinin inşası ve çalıştırılması üzerine uzun bir yazı ve çizimler vardı. Aralarında Mark ZL71'in çizimleri de bulunuyordu. Leon yazıyı tekrar bulup dikkatle inceledi.

Sonuçta çizimler ve tarifler yardımcı olmadığı gibi cesaretini de kırmıştı. Zeplin o kadar muazzam o kadar iyi korunuyor, o kadar hızlı ve yüksekten uçuyordu ki ulaşmanın hiçbir yolu yok gibiydi. Minicik *Kelebek*'le bu gökyüzü devinin kapışmasını hayal etmeye çalıştı: tarla faresiyle siyah yeleli aslanın kapışması gibi olurdu, yoksa akkarıncayla timsah demek daha mı uygundu?

Aklına Eva'yla tanıştırdığı zaman Lusima'nın söylediği kehanet geldi. Duman ve alevler yüzünden görünmeyen büyük gümüş rengi bir balıktan söz etmişti. Graf Otto'nun kitabındaki çizimlere bakınca, o koca gümüş rengi balığın bu zeplin olduğundan kuşkusu kalmamıştı. Acaba daha fazlasını söyler mi diye düşündü ama pek mümkün değildi, Lusima kehaneti hakkında bir daha asla konuşmazdı. İşin özünü söyler, gerisini size bırakırdı.

Leon kendini yalnız ve terk edilmiş hissediyordu. Eva'yı kaybetmişti ve onu bir daha görme şansının çok az olduğunu biliyordu. Sanki vücudunun hayati bir organı koparılıp alınmış gibiydi. Penrod da gitmişti. Amcasını özleyeceği hiç aklına gelmezdi, ama yokluğunu derinden hissediyordu. Yardıma ve tavsiyeye ihtiyacı vardı ve bunu sağlayabilecek tek bir kişi kalmışa benziyordu.

Manyoro, Loikot ve İsmail'i çağırdı. "Lonsonyo Dağı'na gidiyoruz," dedi.

Yarım saat sonra Rift Vadisi üstünden Percy Kampı'na doğru uçuyorlardı. Yere inince bir an dehşete düştü. Hennie du Rand'la Max Rosenthal bir süredir olmadıkları için ve kendi aklı da tamamen Eva'da olduğundan dolayı kamptaki günlük işlerle hiç ilgilenmemişti. Her şeyi eğitimsiz ve yöneticisiz personelin eline bırakmıştı.

Şu anda bununla ciddi olarak ilgilenecek halde değildi. Gelecek belirsizdi ve savaş bitip, barış imzalandıktan sonra bile uzun bir süre kimsenin safariye çıkacağını sanmıyordu. Kampta ancak atları seçmesine yetecek kadar oyalandı ve eşyalarını da alıp batı ufkunda görünen büyük mor siluete doğru yola koyuldular. Dağa yaklaştıkça morali de düzeliyordu.

O gece Lonsonyo'nun eteğinde kamp kurdular ve Leon geç vakte kadar kamp ateşinin başında oturup yıldızlı Afrika göğünün önünde dikilen karanlık siluete baktı. Dağı şimdi bambaşka bir açıdan incelediğini fark etti. Onu ilk defa küçük *Kelebek* ile Graf Otto'nun devasa *Assegai*'si arasındaki mücadelenin yaşanacağı savaş alanı olarak görüyordu.

Zeplini engellemek üzere havalanmak için Loikot'un çobanlarından gelişini haber almayı bekleme faslı onu endişelendiriyordu. Bu çok büyük bir dezavantaj olacaktı. *Assegai* on bin fit yüksekte uçarken, kendisi önce tırmanıp Lonsonyo Dağı'nı aşacak, ancak ondan sonra bütün motorlarının tam gücüyle saldırıya geçebilecekti. Bu da *Kelebek*'i uçuş sınırlarında zorlarken yakıt rezervlerinin çoğunu tüketeceği anlamına geliyordu. Eğer rüzgâr, nem ve hava sıcaklığı da *Assegai*'nin lehineyse, Leon daha *Kelebek*'i gerekli yüksekliğe ulaştıramadan o tepesinden geçip gitmiş olacaktı.

Bu derin yenilgi yüzünden cesareti kırıldı ve başını kaldırıp öfkeyle dağa baktı. O anda Natron Gölü yakınlarında çakan bir dizi şimşek gökyüzünü aydınlatmıştı. Dağ gözüne bir düşman kalesinin yamacı gibi, aşması gereken büyük bir engel gibi göründü.

Sonra garip bir ışık oyunu bakış açısını değiştirdi. Kahve kupasını devirerek ayağa fırladı. Gökyüzüne bakarak, "Tanrım, neyim var benim?" diye haykırdı. "Onca zamandır gözümün önündeymiş. Lonsonyo benim engelim değil sıçrama tahtam!" Artık beynine, yıkılan baraj duvarından akan sular gibi fikirler üşüşmeye başlamıştı.

"Eva'yla yağmur ormanında keşfettiğimiz o düzlük! Daha gördüğüm anda önemli olduğunu anlamıştım. Lonsonyo'nun en tepesinde doğal bir pist. Elli güçlü adamın yardımıyla yerdeki otları birkaç günde inip kalkmaya yetecek hale getiririm. *Assegai*'nin peşine düşmek zorunda değilim. Tek yapmam gereken dağın başında onun bana gelmesini beklemek. En önemlisi de, oyuna avantajlı bir yükseklikten başlamış olacağım. Onu yakalamak için yükseleceğim diye debelenmek yerine tepesine binebileceğim." O kadar heyecanlanmıştı ki ancak birkaç saat uyuyabildi ve ertesi sabah, güneşin doğmasından çok önce patikaya ulaşmıştı.

Lusima Ana yolun kenarında, sevdiği bir ağacın altında durmuş onları bekliyordu. Oğullarını selamlayıp iki yanına oturttu. "Çiçeğin yanında değil M'bogo." Bu bir saptamaydı, soru değildi. "Kuzeydeki o uzak ülkeye gitti."

Leon, "Ne zaman dönecek Ana?" diye sordu.

Kadın gülümsedi. "Bilmemiz gerekmeyeni bulmaya çalışma. Bolluk günlerinde gelecek."

Leon çaresizce omuz silkti. "O zaman bilmemiz gerekenlerden konuşalım. Senden bir iyilik isteyeceğim Ana."

"Kulübemin yanında elli adam seni bekliyor. Neyse ki Mkuba Mkuba işin çoğunu ışıklı sopasıyla halletmiş." Muzipçe gülümsedi. "Ama sen buna inanmazsın değil mi oğlum?"

Lusima da şelalenin üstündeki düzlüğün temizlenmesine yardım etti. Gölgede oturup adamlarının çalışmasını izledi. Leon çok geçmeden onun niye geldiğini anlamıştı: O bakınca adamlar şeytan gibi çalışıyordu ve ikinci gün öğle vakti açılan düzlükte yürümeye başlamıştı. Bu yükseklikte hava ılıktı ve uçağın düşmemesi için piste hızla yaklaşmak gerekiyordu. *Kelebek*'i böyle kısa bir piste indirmek zor olacaktı. Aslında, zemin meyilli olmasa imkânsızdı. İniş pisti yamacın tam kenarındaydı. Eğer vadi tarafından yaklaşırsa pist yokuş yukarı olacak ve yere indikten sonra uçak kendiliğinden hız kaybedecekti. Öte yandan, yokuş aşağı kalkış yaptığı takdirde *Kelebek* hız kazanacak ve uçuş hızına çok daha çabuk ulaşacaktı. Yamacın tepesini aşınca uçağın burnunu aşağı çevirip kısa bir dalış yaparak daha hızlı gidecekti.

Kendi kendine, "Bizi ilginç şeyler bekliyor," dedi. Sorunun ana kısmını daha düşünmemişti. Eğer her şey umduğu gibi giderse *Assegai* Rift Vadisi'ne kuzeyden gelecekti. Deniz seviyesinden on bin fit yüksekte uçuyor olacaktı: Bundan daha yüksekte seyrettiği takdirde gemidekiler oksijensiz kalırdı.

Graf Otto'nun şahin gözlü *chungaji*'lere yakalanmadan canavarı vadinin ortasına kadar getirmesine imkân yoktu. Leon, onun gelişini yeterince erken haber alacak ve *Kelebek*'i havalandırıp devriye noktasına konuşlandırabilecekti. Kendi kendine, "Peki sonra ne olacak?" diye sordu. "İkisi arasında silahlı mücadele mi?"

Bu düşünce gülmesine yol açmıştı. Çizimlerden anladığı kadarıyla *Assegai*'de en azından üç ya da dört tane Maxim makineli tüfek olacak ve eğitimli Alman havacılar sabit bir platformdan ateş açma imkânı bulacaktı. Onların karşısına *Kelebek* ve tüfeği olan iki Masai ile çıkmak intihar anlamına gelirdi.

Güç bela Hugh Delamere'den iki tane el bombası kopartabilmişti ve *Assegai*'nin üstünden uçup bombalardan birini büyük, kubbe şeklindeki tavanına atmak gibi belli belirsiz bir düşüncesi vardı. Zeplinde yaklaşık üç milyon fit küplük yüksek patlama gücünde hidrojen bulunuyordu ve oluşacak ateş topu muazzamdı. Ancak el bombaları temastan altı saniye sonra patladığı için *Kelebek* de bu ateş topunun ortasında kalacaktı.

"Kendimi ateşe atmaktan daha iyi bir plan olmalı," diye mırıldandı. "Vaktinde bulmam lazım. Eva'nın son gönderdiği telgrafa göre *Assegai*'nin Wieskirche'den ayrılmasına beş gün kaldı. Yeni pistin durumunu kontrol etmeye bile vaktim olmadı. Yarın Percy Kampı'na gidip *Kelebek*'i buraya getirmeli."

Leon o gece Lusima'nın kulübesinde kalmaya ve sabahın ilk ışıklarıyla yola koyulmaya karar verdi. Ateşin başında Lusima ile yan yana oturup bir tas manyok lapasını paylaştılar. Lusima iyi günündeydi ve Leon bundan cesaret alarak Eva konusunu açtı. Onları bekleyen sorunlar hakkında bilgi sızdırmaya çalıştı. Kadının gözlerindeki muzip pırıltıdan aklından geçenleri okuduğunu anlamıştı, ama yine de ısrar etti ve sorularını mümkün olduğunca zekice sormaya çalıştı. Bir süre Eva'dan söz ettiler ve Leon, ona duyduğu aşkı bir daha anlattı.

Lusima, "O küçük çiçek bu aşka değer," diyerek ona hak verdi.

"Yine de benden uzaklaştı. Ve onu bir daha görüp görmeyeceğimi bile bilmiyorum."

"Asla umutsuzluğa kapılmamalısın M'bogo. Umut olmadan hiçbir şey olmaz."

"Ana, bize gökyüzündeki büyük gümüş rengi bir balıktan söz etmiştin, hani talih ve aşk getirecek demiştin."

"Artık ihtiyarladım oğlum, bugünlerde çok aptalca şeyler söyleyebiliyorum."

"Ana, bugüne kadar senden duyduğum tek aptalca söz bu oldu." Karşılıklı gülümsediler. "Bana öyle geliyor ki hatırlamadığın o balık gökyüzünü kaplayacak."

"Her şey mümkündür, ama ben balıktan ne anlarım?"

"Ben de aptalca bir şey düşündüm, kendi kendime dedim ki, annem olarak bana bu balığı ve talihle aşkı nasıl yakalayacağımı söyleyebilirsin."

Lusima uzun süre sessiz kaldıktan sonra başını salladı. "Ben balık tutmaktan hiç anlamam. Bir balıkçıya sorman lazım bunu. Belki Natron Gölü'nde bir balıkçı sana öğretebilir."

Leon bir an ona hayretle baktıktan sonra alnına vurdu. "Aptal!" dedi. "Ah Ana, senin bu oğlun aptal. Natron Gölü! Tabii ya! Balık ağları! Bana söylemeye çalıştığın buydu işte!"

Leon'la Manyoro, Loikot ve İsmail'i dağda bırakıp alelacele Percy Kampı'na gittiler. Leon dağa iniş yapmak için ağırlığı minimumda tutmak istemişti.

Percy Kampı'na varınca hemen Natron Gölü'ne hareket ettiler. Bu sefer Leon yumuşak zemine indirme riskini göze almadı, doğruca tuz tavasına iniş yaptı. Manyoro ile birlikte köyün şefiyle pazarlık ettiler ve sonunda dört boy eski, hasarlı ağ satın aldılar, yaklaşık olarak her biri iki yüz adım uzunluğundaydı. Son zamanlarda kullanılmadıkları için kurumuşlardı ama yine de toplam ağırlıkları *Kelebek* için haddinden fazlaydı. Leon hepsini dağın tepesine taşımak için dört sefer yapmak zorunda kaldı. Her iniş kalkış pilotluk becerisini de geliştiriyordu. Uçağı düşüş hızının hemen üstünde tutabilmek için hızlı yaklaşmak zorundaydı, ayrıca iniş takımlarını sonuna kadar zorlayan sert bir iniş gerekiyordu.

İkinci günün öğleden sonrasında ağların dördü de açık alana serilmiş durumdaydı. Çift çift birbirine dikerek, her biri yaklaşık dört yüz adım uzunluğunda iki ayrı ağ oluşturdular.

Ağları toplayıp açmayı deneyecek fırsat yoktu. Doğrudan *Assegai*'de deneyeceklerdi ve ağları fora etmek için tek bir şansları olacaktı. Leon ilk atışta birinci ağı zeplinin iki arka pervanesine dolamayı ve onu yeterince yavaşlattıktan sonra, dönüp dağdan ikinci ağı alma fırsatı bulmayı umuyordu.

Planın kritik noktalarından biri de, ağı düzgünce katlayıp bomba yatağına yerleştirmek ve böylece *Kelebek*'in arkasından gerektiği gibi açılmasını sağlamaktı. Sonra da Leon ağın uçakla bağlantısını kesip, *Kelebek*'i de zeplinin peşine takılıp gitmekten kurtaracaktı. Bunu başaramazsa uçağı, kuyruğu önde, sürüklenip giderdi. Tabii ki bu zorlama neticesinde kanatları ve gövdesi parçalanırdı. Pek çok şey başarılı tahmin yürütmeye, ekip çalışmasına, beklenmedik gelişmeler karşısında hızlı reaksiyon vermeye ve bol miktarda da şu bildik şansa bağlıydı.

Dördüncü günün akşamında *Kelebek* burnu yokuş aşağı olarak yeni pistte duruyordu, pistin sonunda yamaç dik bir açıyla aşağı uzanmaktaydı. Yirmi hamal da uçağı arkadan itmek için hazır bekliyordu.

Her gün şafakta ve akşam karanlığında Loikot dağın yüksek yerlerine çıkıp Masai ülkesinin dörtbir yanındaki *chungaji*'lerle görüşüyordu. Bölgedeki tüm *morani*'lerin gözü kuzey ufkuna dikilmiş gibiydi: hepsi de yaklaşan gümüş canavarı ilk gören kişi olmak istiyordu.

Leon'la ekibi *Kelebek*'in yanına kurulan derme çatma sayvanın altında oturuyorlardı. Haber geldiğinde birkaç saniyede kokpite çıkmış olacaklardı. Artık beklemekten başka yapacak bir şey kalmamıştı.

Gökyüzünde doğu ufku boyunca uzanan tek parça bir duvara benziyordu ve boz çölden gökyüzüne kadar erişiyordu. Eva, *Assegai*'nin kumanda kabininde yalnızdı. Zeplin yerdeydi, günü geçirmek üzere halatla bağlanmıştı ve Eva da sırası gelince diğerleri gibi nöbet tutuyordu. Mürettebatın büyük kısmı gece uçuşundan sonra dinlenmekteydi. Graf Otto da ön iskele motorun yerleştirildiği sepetteydi. Dört saattir adamlarıyla birlikte uğraştıkları halde motoru hâlâ çalıştıramamışlar ve hasarın büyüklüğünü kavramışlardı. Sorunun köküne inmek için krank kutusunu söküyorlardı.

Eva görünen tehlikenin hafife alınacak bir şey olmadığının farkındaydı. Birkaç dakika daha oyalandı ama o kısa süre içinde doğu ufku tamamen o sarı duvarla kaplanmıştı ve ilerleme hızı ürkütücüydü. Artık tek parça görünmüyordu ama yoğun sarı bir duman bulutu gibi kendi içinde dönerek yuvarlanıyordu. Birden ne olduğunu anladı. Çöl seyyahlarının yazdığı kitaplarda okumuştu. En tehlikeli doğal afetlerden biriydi. Dudaklarından, "Hamsin!" kelimesi döküldü ve köprüyü ok gibi geçip geminin alarm panosuna ulaştı ve kola asılınca her tarafta ziller çalmaya başladı.

Ana salonda mürettebat şiltelerinden fırladı, hâlâ uykuluydular ve yaklaşan kum fırtınasına bakakalmışlardı. Kimisi büyüklüğü ve hızı yüzünden şoka girerken, kimisi panik halinde abuk subuk şeyler söylüyordu.

Graf Otto hasarlı motorun sepetinden koşarak gelmişti. Fırtınaya ancak bir saniye bakıp hemen kumandayı devr aldı. Birkaç dakika içinde çalışır durumdaki üç motordan ikisi devreye girmiş, o arada da bağlama ekibine halatları salmalarını işaret etmişti.

Ön iskele motoru sessizdi. Oradaki mühendis hâlâ motoru çalıştıramıyordu. Graf Otto, "Kumandayı al Lutz!" diye bağırdı. "Aşağı inip o motoru çalıştırmam lazım." Açık geçitten koşup motor sepetine inen merdivenlerde gözden kayboldu.

Lutz kumanda paneline koştu ve sekiz gaz vanasının hepsini birden açtı. *Assegai*'nin gaz tanklarına hidrojen doldu ve gemi burnunu öyle ani kaldırdı ki Eva ve tutunmayan diğerleri yere savruldular. Zeplin burnunun dikine tırmanışa geçmişti.

Atmosfer basıncı öyle hızla düşüyordu ki barometre ibresi çılgınca dönüyordu. Gemi komutanı Lutz'da sinüzit olduğu için adam acıyla haykırarak kulaklarını kapadı. Kulak zarlarından biri patladığı için yanağına ince bir kan sızmaktaydı. İki büklüm oldu ve dizlerinin üstüne yığıldı. Köprüde kumandayı devralacak başka subay olmadığı için Eva kendini zorlayarak ayağa kalktı, korkuluğa tutuna tutuna Lutz'un yanına gitti, adam acıdan bayılmak üzereydi. "Ne yapmalıyım?" diye bağırdı.

Lutz, "Hava," diye inledi. "Tanklardaki bütün havayı boşaltın. Kırmızı kollar!" Eva uzanıp kolları tuttu ve bütün gücüyle aşağı indirdi. Yukarıdaki deliklerden boşalan gazın sesini duyuyordu. *Assegai* titreyip sarsıldı ama kontrolsüz tırmanışı düzelmiş ve barometrenin ibresi normale dönmüştü.

Graf Otto da motor sepetinden güverte merdiveninin zürafa boynuna gelmişti. Şimdi, yan korkuluğa asılı açık iskelede mıhlanıp kalmış vaziyetteydi ve *Assegai*'nin çılgın hareketleri yüzünden mancınıkla atılan taş gibi boşluğa fırlama tehlikesiyle karşı karşıya geldi. Eva'dan on beş metre uzaktaydı ve telaşla, "Her iki sancak kolu, tam yol," diye bağırdı.

Eva içgüdüsel olarak denileni yaptı, motorlar kükredi ve zeplinin burnu aksi istikamete döndü. Birkaç saniyeliğine hareketsiz kaldı ve o arada Graf Otto tutunduğu korkuluğu bırakıp rahatça koşmaya başladı. *Assegai* bu kez saat yönüne dönmeye başlarken kendini kapıdan içeri atmıştı. Hemen Eva'nın yanına gelip kollara yapıştı. Hareketleri hızlı ve koordineliydi. Koca zeplini azgın bir atı sakinleştirir gibi sakinleştiriyordu, ama sakinleştirene kadar da gemi on dört bin fite ulaşmıştı ve hamsin rüzgârları yüzünden şiddetle sarsılıyordu. Bununla birlikte, fırtınanın asıl güçlü kısmı gövdenin altından geçip gitti ve gemiyi dokuz bin fite düşürüp düzgün bir şekilde uçurmaya başladı. Ama rüzgârlardan hasar görmüştü: ön iskele motoru tamir edilemeyecek durumdaydı ve gaz tanklarını tutan dikmelerden bazıları kırılmıştı. Kabuk da zayıf yerlerden bel vermişti, fakat gemi hâlâ saatte yüz elli kilometre yapıyordu ve yükü yerinden oynamamıştı.

Karşılarında çöle yayılan Nil'in silueti görünmeye başlamıştı. Aniden telsiz çatırdadı ve Graf Otto şaşkınlıkla yerinden zıpladı. Akdeniz sahilini geçtiklerinden beri bu ilk bağlantılarıydı.

"Güneybatı sahilindeki Walvis Körfezi donanma istasyonu." Telsiz operatörü başını kaldırıp baktı. "Graf von Meerbach'la güvenli görüşme yapmak istiyorlar. Çok gizli acil bir mesajları varmış."

Graf Otto kumandayı birinci subay Thomas Bueler'e bıraktı ve kulaklığı aldı. Görüşmeyi sadece kendisi duysun diye sesi kıstı. Dikkatle karşı tarafı dinledi, gerginleşen yüzü sinirden kızarmıştı. Sonunda bağlantıyı kesti ve ön camın yanına gidip aşağıda akan güçlü nehre gözünü dikti.

Sonunda zor bir karara varmış gibi döndü ve Bueler'e, "On dakikada bütün gemi personeli kumanda odasında toplansın," dedi. "Yere karşılıklı iki sıra halinde oturmalarını istiyorum. Önemli bir duyuru yapacağım." Hışımla çıktı ve Eva ile paylaştıkları küçük kamaraya gitti.

Tekrar ortaya çıktığında Eva korkuyla ürperdi: takma elini değiştirmişti. İki çelik parmağın yerinde şimdi o feci gürz vardı. Mürettebat da dehşet içinde saklamaya gerek görmediği bu garip silaha bakıyordu. Hepsini endişe ve ter içinde bırakana kadar sessizce baktı. Sonra soğuk, haşin bir sesle, "Beyler, aramızda bir hain var," dedi. Bir süre düşünmelerine izin verdi. Sonra devam etti. "Düşman görevimizi öğrenmiş. Rotamız ve hareketlerimiz bildirilmiş. Berlin operasyonu durdurmamızı emrediyor."

Çelik yumruğunu aniden kaldırıp harita masasına indirdi. Masa paramparça olmuştu. "Geri dönmüyorum," diye hırladı. "Hainin kim olduğunu biliyorum." Oturanların arasından ilerleyip Eva'nın arkasında durdu. Eva olduğu yerde büzüldü ve kendini olacaklara hazırladı. "Ben ihaneti affedebilecek biri değilim. Hain de bunu öğrenmek üzere." Eva koşarak kaçmak, kendini geminin öbür tarafına atmak ve o çelik yumrukla parçalanmak yerine sessizce ölmek istedi. Graf Otto gürzü yavaşça başına değdirdi. "Kim olduğunu merak ediyor musun?" diye fısıldadı.

Eva suratına haykırmak, elinden geleni yapmasını söylemek üzere ağzını açtı. Sonra gürzü başından kaldırdığını ve ilerlediğini fark etti. Gırtlağından sıcak ve acı bir tat yükseldi; kusmamak için bütün gücünü harcaması gerekti.

Graf Otto sıranın sonuna varınca döndü ve yine Eva'ya doğru gelmeye başladı. Eva içine kaynar su dolmuş da hava alamıyormuş gibiydi. Graf Otto'nun ayak sesi kesildi ve Eva ürkerek nefes aldı. Sanki yine gelip tam arkasında durmuş gibiydi.

Sonra sesi duydu, neredeyse çığlık atacaktı. Bu sefer harita masasında olduğu kadar gürültü çıkmamıştı. Boğuk, ıslak bir sesti ve kırılan kemiğin sesi de gayet belirgindi. Hızla dönüp bakınca Hennie du Rand'ın yüzüstü düşmüş olduğunu gördü. Graf Otto, adamın başında durup çelik yumruğunu defalarca indirdi, gürzü iyice havaya kaldırıyor ve bütün gücüyle kürek kemiklerinin arasına vuruyordu. Doğrulduğunda soluk soluğa kalmıştı ve yüzü kan içindeydi.

Daha yumuşak bir sesle, "Bu köpeği aşağı atın," diye emretti ve gülümsedi. "Her zaman en çok güvendikleriniz ihanet eder. Tekrar ediyorum beyler, geri dönmek yok. Ama yükümüzün İngilizlerin eline geçmesine de izin veremeyiz. Hızımızı korursak yarın öğle vakti Alman Bölgesi'ndeki Arusha'ya ulaşmış ve en kötü kısmını sağ salim atlatmış oluruz."

Ağır ağır salondan çıktı ve iki tayfa Hennie'yi ayak bileklerinden tutup sürükleyerek götürürken Eva iki eliyle gözlerini kapattı. Adamlar cesedi korkuluktan aşırtıp Nil vadisine fırlattı. Eva sessizce ağlıyordu, ama her damla yaş iğne gibi gözüne batıyordu.

Eva uyanıp da seyir bölümüne gittiğinde ay kocaman altın bir sikke gibi dağların hemen üstündeydi. Karanlık ufukta batışını, Hint Okyanusu'ndan esen muson rüzgârlarının getirdiği bulutlarla sarmalanışını seyretti. Daha o tamamen kaybolmadan güneşin ilk ışıkları zeplinin gümüş kubbesine vurmaya başlamıştı. Aşağıdaki arazi adım adım karanlıktan çıkarak şekilleniyordu. Sonra aniden Lonsonyo Dağı'nın tanıdık siluetini görünce kalbi yerinden çıkacak gibi oldu. Dağın her bir ayrıntısı hafızasına kazınmıştı. Sheba'nın Havuzu'nun üstündeki kırmızı kayaları tanıdı ve güneşin ilk ışıklarıyla parıldayan köpük köpük suları gördü. Sanki Porsuk yine yanındaydı. Şelalenin altında çıplak bedeniyle durup ona gülüşü, dalga geçişi, yanına gitsin diye kandırmaya çalışması gözünün önüne geldi.

İçinden ah sevgilim diye düşündü, şimdi nerelerdesin? Seni bir daha hiç göremeyecek miyim?

Sonra birdenbire mucizevi bir şekilde karşısına çıktı, o kadar yakındı ki elini uzatsa o güzelim güneş yanığı yüzüne dokunabilecekti. Doğruca gözlerinin içine bakıyordu. Onu sadece bir anlığına görmüştü ama Leon'un da onu tanıdığını anlamıştı. Sonra da geldiği gibi aniden çekip gitmişti.

Leon battaniyelerine sarınmış uyuyordu. Uykusunun arasında uzaktan gelen tiz sesler duydu, *chungaji*'ler şafağın sessizliğinde birbirlerine sesleniyorlardı. Ses tonlarındaki bir şey Leon'u alarma geçirdi. Loikot iki omzundan tutmuş sarsarken o da uyanmaya çalışıyordu. "M'bogo!" Sesi çok heyecanlıydı. "Gümüş balık geliyor! *Chungaji*'ler görmüş onu. Güneş ufukta tam görünmeden buraya varmış olacaklar."

Leon ayağa fırladı, hemen uyanmıştı. Manyoro'ya, "Çalıştırın!" diye bağırdı. "İskele bir numara." *Kelebek*'in alttaki kanadına atılıp oradan kokpite geçti.

"Çek!" diye bağırıp karbüratörü devreye soktu. Makine de bu av için onun kadar hevesliymiş gibiydi. Motorlar çalıştı ve pervaneler dönmeye başladı. Onların uçuşa hazır hale gelmesini beklerken gökyüzüne baktı. Bulutlardan anladığı kadarıyla okyanustan güzel bir rüzgâr geliyordu ve doğruca piste doğru esmekteydi. Kalkış için ideal bir durumdu. Av tanrıları da yüzüne gülmeye başlamış gibiydi.

Loikot'la İsmail de kokpite tırmandılar ve Manyoro da gelince içeride nefes alacak yer kalmamıştı. Leon kolları itti ve *Kelebek* ileri atıldı. Kanat uçlarında bekleyen Masai'li köylüler uçağı uçuş pozisyonuna soktular. Leon kolların hız kademesini artırırken, onlar da bütün güçleriyle kanatları itmeye başladılar. *Kelebek* gitgide hızlandı ama bu hız yine de yeterli değildi ve pistin sonuna geldiklerinde henüz uçuş hızına ulaşamamışlardı. Leon'un hayatta kalma içgüdüsü frenlere asılmasını ve uçağı düşmekten kurtarmasını söylüyordu, ama içgüdülerini dinlemeyip, aksine hızı son kademesine çıkardı. Motorlar tam güçle bağırdı ve o anda Leon'un yüzüne daha güçlü bir hava akımı çarptı. Garip, beklenmedik bir akımdı. *Kelebek*'in kanatlarının altına girip uçağı hafifçe yükselttiğini hissetti. Bir an bunun bile yetmeyeceğini sandı. Kanatlardan biri, yükselmek için büyük çaba harcayan uçağı amansızca aşağı çekiyordu. Ama uçak rüzgârın yardımıyla kendini kurtardı ve bir anda uçmaya başladılar. Leon yüz seksen beş kilometreye ulaşınca uçağın burnunu aşağı doğru indirdi, sonra kumanda simidini geri çekti. *Kelebek* cilveli bir şekilde tırmanışa geçerken, Leon hâlâ korkusunu üstünden atamamıştı. Ölümün kıyısından dönmüşlerdi.

Sonunda, korkusunu unutup karşıya baktı. Hepsi aynı anda aynı manzarayla karşı karşıya kaldılar. Muazzam gümüş balık sabah güneşinde parlıyordu. Leon onun bu görüntüsüne kendini hazırlamış olduğunu sanıyordu ama hazırlamadığını anladı. *Assegai*'nin büyüklüğü dehşet vericiydi. *Kelebek*'in birkaç yüz metre aşağısındaydı ve neredeyse pozisyonu kaybetmek üzereydiler. Birkaç dakika daha geçse onu bir daha asla yakalayamazlardı.

Fakat *Kelebek* de ona yaklaşmak için mükemmel pozisyondaydı. Zeplinin hem üstünde, hem gerisindeydi ve tam kör noktasına oturmuştu. Leon uçağın burnunu indirip dalışa geçti. Hızla yaklaştıkça *Assegai*'nin, tüm görüş alanını kaplayan, adeta bir balon gibi şiştiğini görüyordu. Öndeki motorlarından birinin çalışmaz durumda olduğunu gördü, pervanesi kararlı bir nöbetçi gibi dimdik duruyordu. İki arka motoru sepetlerinin içinde yolcu ve yük salonunun hemen altına ve arkasına tutturulmuştu. Leon o kadar meraklanmıştı ki neredeyse adamlarına ağı atmalarını söylemeyi unutacaktı.

Planın en kritik anlarından biri buydu. Kolayca kendi kuyruk dümenini veya iniş takımlarını da ağa kaptırabilirdi. Fakat doğudan esen muson rüzgârı sayesinde ağır ağ gayet düzgün bir şekilde açılıyordu. Uçağı zeplinin gaz tankına doğru yaklaştırınca bir süre seyir kabini ve kumanda köprüsüyle aynı hizada uçtular.

Camların ardında canlı birini görmek şok etkisi yaratmıştı. Oysa Leon'a zeplinin kendi başına bir canlıymış, insanlarla hiç ilgisi yokmuş gibi geliyordu. Ama işte Graf Otto von Meerbach elli adım ötede durmuş öfkeyle ona bakıyordu, dudaklarının hareketine bakılırsa bağırarak küfür etmekteydi. Sonra dönüp köprüye tutturulmuş olan makineli tüfeğin başına koştu.

Leon, Alman'ın arkasında duran Eva'yı gördüğü zaman donup kaldı. Bir an onun menekşe gözlerine baktı, Eva da hayretle ona bakıyordu. Graf Otto tüfeği doldurmuş ve su soğutmalı iri gövdesini ona doğru çevirmişti. Leon kendine geldi ve Graf Otto ateşe başladığı anda uçağın kanadını yana yatırdı. Mermiler art arda üstüne doğru geliyordu, ama Leon hemen zeplinin kumanda köprüsünün önüne kaçtı. Yağan mermiler geride ve yüksekte kalmıştı.

Assegai'nin iki arka motoru karinanın altında savunmasız vaziyette asılıydı. Leon dönüp *Kelebek*'in ardından uçan uzun ağa baktı ve sonra iki hava aracının hızını ve açılarını dikkatle hesaplayıp ağı zeplinin dönen pervanelerine doğru sürükledi. Bir anda pervanelere dolanan ağ, onların dönüşünü engelleyen kaskatı toplar haline geldi. Her şey o kadar çabuk olup bitmişti ki neredeyse ağdan kurtulmayı unutacaktı.

Manyoro'ya, "Bırak!" diye bağırdı ve o da hemen harekete geçip iki eliyle asılarak bırakma kolunu kaldırdı. Kancalar açıldı ve ağın uçakla bağlantısı bir anda kesildi, biraz daha vakit geçse *Kelebek*'i gökyüzünden koparıp alabilirdi. Zeplinin koca kuyruk dümeni sürtünürcesine yanlarından geçti. Ve sonra *Kelebek* tamamen özgür kaldı. Leon uçağı yine *Assegai*'nin arkasındaki kör noktaya getirdi. Maxim'in mermilerinden kıl payı kurtulmuştu. Aynı hatayı bir daha yapmayı düşünmüyordu.

Assegai'nin arka motorlarından yükselen dumanı izledi. Ağlar ve ağır bağlama halatları pervanelere ve diğer hareketli kısımlara o kadar feci dolanmıştı ki her iki motor da tamamen durmuş vaziyetteydi. *Assegai* artık dümene itaat etmiyordu. Tek ön motor, koca zeplini çaprazdan esen muson rüzgârlarına karşı uçurabilecek güçte değildi ve *Assegai* hızla irtifa kaybederek Lonsonyo Dağı'nın kayalık tarafına doğru sürüklenmeye başlamıştı. Dümenci bütün gücüyle kollara asılıyordu ve sapma çok fazlaydı. Artık kaputu aşırı ısınan sağlam motordan da mavi dumanlar çıkıyordu.

Graf Otto kumanda odasına koştu ve dümenciyi omuzlarından kavradığı gibi yana savurdu. Adamın suratı cama çarpmış ve yere yuvarlanmıştı, kırılan burnundan kan fışkırıyordu. Graf Otto dümeni kavradı ve karşısındaki kayalara baktı. Aralarında bir kilometreden az mesafe vardı ve zirvenin en az bin fit aşağısındaydılar. Çarpışmayı önlemenin tek yolu, gaz tanklarına sonuna kadar yüklenmek ve gemiyi olabildiğince hızla yükseltip zirveyi aşmaya çalışmaktı. Valfların kumandasına uzandı ve sonuna kadar çekti. Ama borular hidrojenle dolacağı yerde zayıf bir tıslama duyuldu ve *Assegai* sarsılsa da fazla yükselemedi.

Graf Otto öfkeyle, "Hidrojen tankları boşalmış!" diye bağırdı. "Bütün gazı çölde hamsinle boğuşurken harcamışız. Asla başaramayız. Olanca hızımızla kayalara bindireceğiz. Atlamamız lazım! Ritter, paraşütleri çıkar. Hepimize yetecek kadar var."

Ritter ve adamları hemen köprünün arkasındaki depoya koştular ve paraşütleri güverteye yığmaya başladılar. Paraşüt kapmaya çalışan adamlar arasında panik yaşandı. Graf Otto onları omuzlayarak kendine yol açtı ve iki eliyle birer paraşüt kaptı. Koşarak Eva'nın yanına gitti. "Şunu tak."

Eva, "Nasıl yapacağımı bilmiyorum ki," diye itiraz etti.

Graf Otto, "Eh, öğrenmek için iki dakikan var," deyip koşumları omuzlarından geçirdi. "Zeplinden ayrılır ayrılmaz yediye kadar sayman lazım, sonra da şu ipi çek. Geri kalanını paraşüt halleder." Kayışları sıkılaştırıp Eva'nın göğsündeki tokaları kilitledi. "Yere çarpar çarpmaz şu tokaları aç ve paraşütten kurtul." Kendisi de paraşütünü kuşandı ve Eva'yı da ardından sürükleyerek kapıya doğru koştu, çıkmak için birbirini çiğneyen insanlar çıkışı kapatmıştı.

Eva, "Otto, ben bunu yapamam," diye haykırdı ama Graf Otto tartışmadı. Genç kadını belinden kavrayıp güçlükle taşıyarak kapıya doğru ilerledi. Güçlü tekmeleriyle önündeki iki adamı devirdi ve kapıya ulaşır ulaşmaz Eva'yı aşağı attı. Arkasından, "Yediye kadar say, sonra ipi çek," diye bağırdı.

Yağmur ormanının tepesindeki düzlüğe doğru düşüşünü izledi. Tam dallara çarpmış gibi göründüğü anda paraşütü açıldı ve Eva'yı öyle kuvvetle çekti ki vücudu iplerin ucunda kukla gibi döndü. Graf Otto da onun yere inişini görmeyi beklemeden kendini aşağı attı.

Leon *Kelebek*'i yamaçlara gelmeden döndürdü ve zeplinin kumanda kabininden atlayanlara baktı. En az üç paraşüt açılmamış ve insanlar kolları bacakları savrularak ağaçların tepesine kadar ok gibi inmişti. Daha şanslı olan bazıları muson rüzgârıyla devedikeni tüyü gibi uçmuş ve dağın yamaçlarına dağılmışlardı. Sonra erkeklerden daha kısa ve ince olan Eva'nın da kurşun gibi indiğini gördü. Paraşütü açılsın diye beklerken bütün gücüyle dudağını dişledi, sonra beyaz ipek çiçek gibi açılınca rahat bir nefes aldı. Genç kadın birkaç saniyede ormanın yoğunluğunda gözden kaybolmuştu.

Assegai burnunu havaya dikmiş durumda uçmaya, daha doğrusu rüzgârla sürüklenmeye devam ediyordu. Ağır ağır yükseliyordu da ama Leon bir göz atınca zirveyi aşmayı başaramayacağını anlamıştı. Kuyruğu ağaçlara çarptı ve şiddetle döndü. Karaya vurmuş denizanası gibi yan yattı ve devasa gaz tankları ağaçların üst dallarına takıldı. Tanklar koptu ve zeplin delinmiş bir balon gibi söndü. Leon bunu takip edecek hidrojen patlamasını bekledi -hasar gören jeneratörlerden gelecek tek bir kıvılcım yeterdiama hiçbir şey olmadı. Gaz dışarı çıkıp rüzgâr tarafından dağıtılmış olduğu için *Assegai* ağaçların tepesinde şekilsiz bir kumaş ve enkaz yığını olarak kalmıştı. Muazzam ağırlığı yüzünden en kalın dalları bile kırıyordu.

Leon *Kelebek*'e tam bir dönüş yaptırdı ve enkaza yaklaştı. Ormanda Eva'yı görebilmek için ümitsizce çırpındı, ama hiç iz yoktu. Tekrar döndü ve bir geçiş daha yaptı. Bu sefer paraşüte asılıp kalmış cansız bir beden gördü, ipek yüksek bir ağacın dallarına dolanmıştı. Çok alçaktan uçtuğu için Graf Otto'yu tanıyabildi.

"Ölmüş," diye düşündü. "Sonunda o kahrolası boynunu kırmış." Sonra adam tam *Kelebek*'in altında kaldı ve alttaki kanat Leon'un görüş alanını kapadı.

Kelebek'i piste götürmek üzere alçaktan uçarak geri döndü, böylece bir an bile kaybetmemiş olacaktı. Geri dönüp Eva'yı aramak istiyordu. Beyaz köpüklerle dökülen şelalenin önünden geçerken Sheba'nın Havuzu'na baktı, işaretlerini dikkatle kontrol etti. Havadan gidince *Assegai*'nin enkazından birkaç dakikalık mesafedeydi, ama yaya olarak zorlu bir yol olacağını biliyordu. Yere konup da motorları susturduğu an koltuğun altındaki tüfeğine uzandı. Üç seri hareketle büyük Holland'ın namlularıyla gövdeyi birleştirdi ve şarjörlerini taktı. Sonra bacaklarını kokpitin yanından sarkıtıp aşağı atladı. Bir yandan da onu karşılamaya koşan *morani*'lere emirler yağdırıyordu.

"Çabuk! Mızraklarınızı alın. Hanım Sahip orada ormanda tek ba-
na. Başına bir şey gelebilir. Onu hemen bulmamız lazım." Alçak çalıların
üstünden atlayarak bayır aşağı koşmaya başladı. Peşinden gelen savaşçı-
lar onu ağaçların arasında görmekte zorlanıyorlardı.

Paraşütün ucunda çılgınca savrulmakta olan Eva eğilip, hızla yaklaşan ağaç tepelerine baktı. Bütün hızıyla üst dallara çarpıp, hızla inmeye devam etti. Küçük dallar başının etrafında çatır çatır kırılıyordu. Her yeni dala çarpışında hızı biraz daha azaldı ve sonunda yamaçtaki küçük açıklıkta yere indi.

Yamaç dik olduğu için bataklık bir yerde durana kadar kendini bıraktı ve yuvarlandı. Graf Otto'nun sözleri aklına geldi ve hemen göğsündeki tokaları açıp kendini paraşütten kurtardı. Sonra dikkatle ayağa kalkıp yaralarını kontrol etti. Kollarında bacaklarında sıyrıklar vardı ve sol kalçası çürümüştü ama sonra zeplinden atılmanın dehşetini hatırladı ve ne kadar şanslı olduğunu gördü.

Omuzlarını dikleştirip çenesini kaldırdı.

"Şimdi Porsuk'u nerede bulacağım? Keşke nereden geldiğini bilseydim, ama birden gökyüzünde beliriverdi." Birkaç saniye daha düşündükten sonra sorusunu kendisi yanıtladı. "Sheba'nın Havuzu tabii ki! Beni arayacağı ilk yer orasıdır."

Yolu gayet iyi biliyordu çünkü Lusima'nın *manyatta*'sında kalırken Leon'la buralarda çok gezmişlerdi. Yamaca doğru şöyle bir bakmak yönünü ve şelalenin bulunduğu yeri saptamasına yetti. "Güneyde ve birkaç kilometreden uzak olamaz."

Yamacı sağ tarafına alarak yola koyuldu. Ama sonra aniden durdu. Karşıdaki çalıların içinde bir hareket olmuş ve iğrenç bir şekilde sırıtan bir sırtlan ortaya çıkmıştı. Hayvanın ağzından parçalanmış taze etler sarkıyordu. Eva, onu yemeğini yerken rahatsız etmişti.

Dikkatle yaklaştı ve birinci subay Thomas Bueler'in cesedini buldu, fundaların içinde paramparça yatıyordu. Paraşütü açılmayanlardan biri de oydu. Eva da üniformasından tanımıştı: yüzünün büyük kısmı yoktu... sırtlan parçalamıştı. Tam bayır aşağı koşmak üzereydi ki Bueler'in koşumlarının ön tarafına bağlanmış bir sırt çantası gördü... paraşütü de o yüzden açılmamıştı: ipler çantaya dolanmıştı. Belki çantada dağda hayatta kalmasına yardımcı olacak bir şeyler bulabilirdi.

Cesedin yanına çöktü ve sırt çantasını açarken yüzüne bakmamaya çalıştı. Küçük bir ilkyardım seti, birkaç paket kurutulmuş meyveyle tütsülenmiş et, ateş yakmak için teneke kutuda kibrit ve tahta kılıfında iki adet yedek şarjörüyle birlikte 9 mm.'lik Mauser tabanca buldu. Bulduğu bu eşyalar şu an onun için çok değerliydi.

Çantayı paraşütten kurtarıp omzuna astı ve hızla patikaya doğru yöneldi. Bir kilometre kadar gitmişti ki Otto'nun sesini duydu, bayırın biraz yukarısından ağlamaklı bir sesle yardım istiyordu: "Beni duyan kimse var mı? Ritter! Bueler! Gelin! Yardıma ihtiyacım var." Eva hemen patikadan saptı ve dikkatli bir şekilde sesin geldiği yöne doğru yürüdü. Otto bir daha seslenince başını kaldırdı ve onu gördü. Yüksek bir ağaçta asılı kalmıştı. Paraşütünün ipleri kalın bir dala dolanmıştı ve yerden yirmi metre yukarıda, kendini ileri geri sallayarak asılı olduğu dalı yakalamaya çalışıyor, ama yeterli hızı kazanamadığı için oraya ulaşamıyordu.

Eva dikkatle etrafına bakındı. Görünürde *Assegai* personelinden kimse yoktu. Graf Otto, onu gördüğünde gizlice kaçmak üzereydi. "Eva! Tanrı'ya şükür geldin." Eva durdu. "Gel Eva, aşağı inmeme yardım etmelisin. Koşumlarımı açarsam düşüp ölürüm. Ama çantamda ince bir ip var." Çantasının kapağını açıp bir kangal ip çıkardı. "Ucunu aşağı salacağım. Beni dala kadar çekmen lazım ki tutabileyim." Eva öylece durup bakakalmıştı. Artık kazadan kurtulduğunu gördüğüne göre peşini bırakmazdı. Her yerde takip ederdi. Kurtulmasına asla izin vermezdi.

Otto sabırsızca, "Çabuk olsana kadın. Orada dikilip durma öyle. Tut şu ipin ucunu," diye bağırdı.

İlişkileri boyunca ilk defa güçlü olan taraf Eva'ydı. Bu, babasını öldüren, kendisine de maddi manevi işkence yapan adamdı. İntikamını alma fırsatı ayağına gelmişti. Eğer şimdi onu öldürürse bütün o kötü anıları unutabilirdi. Kendine temiz bir sayfa açardı. Uykuda yürürmüş gibi ilerledi, aynı zamanda Bueler'in çantasını karıştırıyordu.

"Evet Eva, böyle iyi. Sana her zaman güvenebileceğimi biliyordum. İpi al." Eva'nın daha önce hiç duymadığı yaltaklanan bir ses tonuyla konuşuyordu. Eva bütün benliğini kaplayan gücü ve kararlılığı hissetti. Mauser'in kabzası da eline tam oturmuştu.

Yukarıdan çaresizce sallanan adama bakıp, "Ben kara meleğim," diye fısıldadı. "İntikam meleğiyim." Tabancayı çekip horozu kaldırdı. Mermiyi yerleştirirken metalik bir ses duyuldu.

Graf Otto merakla, "Ne yapıyorsun?" diye bağırdı. "İndir o silahı. Birisi yaralanabilir!" Eva tabancayı yavaş yavaş kaldırıp Graf Otto'ya nişan aldı.

"Dur Eva! Tanrı aşkına, ne yapıyorsun?" Eva artık sesindeki korkuyu duyabiliyordu.

Yumuşak bir sesle, "Seni öldüreceğim," dedi.

"Sen delirdin mi? Aklını mı kaybettin?"

"Aklımdan çok daha fazlasını kaybettim. Her şeyimi aldın. Şimdi de ben geri alıyorum."

Ateş etti.

Bu kadar çok ses çıkmasını ve geri tepmenin bu kadar şiddetli olmasını beklemiyordu. Adamın kara kalbine nişan almıştı ama mermi sol kolunun dirseğinin üstünden sıyırıp geçmişti. Yarasından akan kan parmak uçlarından sızmaya başlamıştı.

"Yapma Eva. Lütfen! Ne dersen yaparım." Eva bir daha ateş etti ve bu mermi daha da açıktan geçti. Otto'ya değmemişti bile. Tabancayla o mesafeden ateş etmenin bu kadar güç olduğunu bilmiyordu. Graf Otto koşumlarının içinde kıvranıyor, kendini oradan oraya atıyordu. Eva tekrar tekrar ateş etti. Graf Otto dehşet içinde haykırmaktaydı. "Dur! Dur sevgilim! Her şeyi telafi edeceğim, söz veriyorum. Bu dünyada benden istediğin ne varsa alacaksın." Eva derin bir nefes aldı ve tabancayı son kez doğrulturken sakinleştirmeye çalıştı, ama daha tetiğe basamadan güçlü bir kol arkadan beline dolandı ve bir el bileğine vurup silahı aşağı çevirdi. Mermi çizmelerine teğet geçerek yere saplandı.

Graf Otto, "Bravo Ritte!" diye bağırdı. "Sıkı tut onu! O hain orospuyu ben elime geçirene kadar bekle."

Ritter, Eva'nın bileğini bükerek tabancayı aldıktan sonra yere bastırıp tek dizini kürek kemiklerinin ortasına dayadı. O Eva'nın ellerini arkada tutarken adamlarından biri de yarım düzine sağlam düğüm attı. Ritter Mauser'i adama uzattı. "Eğer gerekirse vur onu," diye emretti ve Graf Otto'yu ağaçtan indirmek için koştu. Sarkan ipin ucunu yakaladı ve yana doğru çekti. Graf Otto dala sıkıca tutunduktan sonra üstüne tırmandı. Orada yüzüstü yatar vaziyetteyken koşumlarını açtı ve aşağı bıraktı. Sonra maymun çevikliğiyle ana gövdeden yere kaydı. Bir iki dakika durup soluklarını düzelttikten sonra da ağır ağır Eva'nın yattığı yere yaklaştı. Görevliye, "Kaldır şunu," dedi. "Ve sıkı tut." Eva'ya gülümseyip metal yumruğunu gösterdi. "Bu senin için hayatım!" Yumruğu indirdi. Vuruş hızını iyice hesaplamıştı, onun çabucak ölmesini istemiyordu.

"Orospu!" diye bağırıp saçından kavradı ve dizlerinin üstüne düşürene kadar büktü. "Hain orospu. Şimdi anladım ki başından beri senmişsin, o zavallı Boer yaratığı değil." Eva'nın yüzünü yağmurla ıslanmış toprağa bastırdı ve çizmelerinden biriyle ensesine bastı. "Seni öldürmenin en iyi yolunu bulamıyorum. Çamurda boğmak mı? Yoksa ağır ağır ellerimle boğmak mı? Veya o güzel kafanı jöleye çevirmek mi? Zor bir karar." Eva'nın yüzünü kaldırıp gözlerine baktı. Burnundan akan kan çamurla karışmış olarak çenesinden damlıyordu. "Artık pek güzel değilsin. Tam olduğun gibi pis bir orospuya benziyorsun."

Eva başını kurtarıp Graf Otto'ya tükürdü.

Yüzünü koluyla silen Otto güldü. "Harika bir eğlence olacak bu. Her anının tadını çıkaracağım."

Ritter ileri çıkıp araya girmeye çalıştı. "Hayır efendim. Ona bunu yapamazsınız. O bir kadın."

"Yapabileceğimi sana kanıtlayacağım tuğgeneral. İzle şunu." Zırhlı elini bir daha kaldırdı, ama tam Eva'ya doğru eğilirken kulakları sağır edici bir ses duyuldu. .470 Nitro Express tüfeğin kendine has sesiydi bu. Ağır mermi göğsünün ortasından girip kürek kemiklerinin ortasından kan ve doku parçalarıyla birlikte çıkarken Graf Otto geriye doğru uçtu.

Leon, "Meseleyi uzatmak isteyenler için bir mermi daha var. Ellerinizi kaldırın lütfen beyler!" dedikten sonra çalıların arasından çıktı. Yanında Manyoro, Loikot ve *assegai*'lerini kaldırmış yirmi tane daha Masai *morani*'si vardı.

"Manyoro, lütfen şunları pazara giden tavuklar gibi bağla. *Morani*'ler Magadi Gölü'ndeki askeri kaleye götürüp askerlere teslim etsinler." Koşup Eva'nın yanına gitti. Av bıçağını kınından çıkarıp iplerini kesti. Sonra yüzünü avuçlarının arasına alarak kendi yüzüne yaklaştırdı.

Eva, "Burnum," diye inledi. Leon uzanıp kan ve çamur içindeki dudaklarından öptü.

"Kırılmış ve bir çift mor gözün olmuş ama seni Nairobi'ye götürdüğüm anda Doktor Thompson'un halledemeyeceği şeyler değil." Eva'yı kaldırdı ve sıkıca göğsüne bastırarak *Kelebek*'in beklediği piste götürdü. Orada özenle uçağın zeminine yatırıp üzerine branda örttü, çünkü Eva şok yüzünden titriyordu.

Ayağa kalktığında Lusima'nın da uçağın yanında durduğunu gördü. "Onu Nairobi'ye götürüyorum," dedi. "Ama bize yapabileceğin büyük bir iyilik var."

"Yapacağım oğlum."

"Gümüş canavar yamaçta parçalanmış olarak yatıyor. Manyoro seni ve *morani'*lerini oraya götürsün. Senden istediğim şu."

"Dinliyorum M'bogo." Leon hızlı hızlı konuştu. Sözünü bitirince Lusima başını salladı. "Bütün bunları yapacağım. Şimdi sevgili kırık çiçeğini güvenle götür ve iyileşene kadar güzelce bak."

Sheba'nın Havuzu'na döndüklerinde aradan neredeyse dört yıl geçmişti. Lusima, Manyoro, İsmail ve Loikot'u eski kampta bırakıp havuza ikisi gittiler. Leon gelip onu eğerden indirdi ve yere bırakmadan önce öptü. "Çok garip," dedi. "Nasıl oluyor da her gün biraz daha gençleşip ve güzelleşiyorsun?"

Eva güldü ve burnuna dokundu. "Şuramda buramda birkaç ufak tefek değişiklik oldu tabii." Doktor Thompson sihirli ellerine rağmen burnu eskisi gibi kalkık değildi.

Leon elini karnına koyarken, "Sen buna ufak tefek değişiklik mi diyorsun?" dedi.

Eva eğilip gururla karnına baktı. "Sadece büyümesini seyret."

"Heyecanla bekliyorum Bayan Courtney." Elinden tutup her zaman oturdukları kaya çıkıntısına götürdü. Yan yana oturup karanlık suları seyrettiler.

Eva, "Bahse girerim kayıp Meerbach altınlarını hiç duymamışsındır," dedi.

"Tabii ki duydum." Yüzü gayet ciddiydi. "Afrika'nın en büyük gizemlerinden biridir. Sultan Süleyman'ın kayıp madenleri ve eski Boer başkanının Pretoria'ya giren Kitchener ordusunun burnunun dibinden yürüttüğü Kruger milyonları hikâyesiyle başa baş gider."

"Sence bu gizemi yakında çözen çıkar mı?"

Leon, "Belki de bugün," diye cevap verdi. Ayağa kalkıp gömleğinin düğmelerini açmaya başladı.

Eva, "Neredeyse dört yıldır burada yatıyor. Ya biri çoktan bulmuşsa?" diye sordu ve keyifli hali bozulmaya başladı.

Leon, "Böyle bir şey asla olamazdı," diye güvence verdi. "Lusima Ana havuzu lanetledi. Kimse girmeye cesaret edemezdi."

Eva, "Peki sen korkmuyor musun?" diye sordu.

Leon gülümseyerek boynunda asılı fildişi nazarlığı okşadı. "Bunu bana Lusima verdi. Laneti geçersiz kılar."

Eva, "Bunu sen uydurdun Porsuk," diye çıkıştı.

"Sana kanıtlamanın tek bir yolu var." Tek ayağı üstünde zıplayarak pantolonunu çıkardı, sonra koşup suya atladı.

Eva ayağa fırlayıp arkasından bağırdı. "Geri dön! Cevabı öğrenmekten korkuyorum. Ya hepsi gittiyse Porsuk?"

Leon suda yürüdü ve havuzun ortasından Eva'ya sırıttı. "Sen iflah olmaz bir karamsarsın aşkım. Birkaç dakika sonra ya en kötüsü olacak ya da en iyisi." Dört derin nefes alıp daldı. Birkaç saniye çıplak ayakları suda çırpındı, sonra gözden kayboldu. Eva onun dönmesinin biraz süreceğini bildiği için son dört yılın olaylarını düşünmeye başladı. Heyecan ve tehlikeyle karşılaşmışlardı ama aynı zamanda aşkı ve kahkahayı da yaşamışlardı. Delamere'nin hafif süvari birliğiyle birlikte von Lettow Vorbeck çakalına karşı mücadele verirken çoğu zaman o da Leon'un yanında olmuştu. Leon ona *Arı*'yı uçurmayı ve gözcülükle seyir subaylığı yapmayı öğretmişti. İkisi ünlü bir ekip olmuşlardı. Bir keresinde, Leon yanında yokken, ağır Alman ateşi altında uçağını indirip dört tane yaralı *askari*'yi kurtarmıştı. Lort Delamere de her şeyi kitabına uydurup askeri madalya kazanmasını sağlamıştı.

Fakat artık savaş bitmiş ve kazanılmıştı, Eva biraz daha az heyecan ve tehlike, daha çok aşk ve kahkaha istiyordu.

Leon suları yararak ortaya çıkınca yerinden zıpladı. "Kötü haberi verebilirsin," diye bağırdı.

Leon cevap vermedi ve oturduğu çıkıntının altına yüzüp oradan sağ elini uzattı. Elinde tuttuğu şeyi ayaklarına doğru attı. Bu küçük bir keseydi ve ağır olduğu belliydi. Yere çarptığı anda ağzı açılmıştı. İçinden dökülen altın sikkeler güneş ışığında parlayınca Eva heyecanla bağırarak dizlerinin üstüne çöktü. Altınları avuçlarına alıp gözlerinde dile getirmediği bir soruyla Leon'a baktı.

"Bazı sandıklar patlayıp açılmış, muhtemelen Lusima'nın *morani*'leri şelalenin tepesinden havuza atınca olmuştur, ama her şey tamam görünüyor." Susamuru gibi sudan çıktı ve Eva bir avuç altın parayı bırakıp onun soğuk ve ıslak bedenine sarıldı.

Kulağına, "Hepsini geri vermek zorunda değil miyiz?" diye fısıldadı.

"Kime vereceğiz ki? Kayzer Bill'e mi? Artık işi bıraktı diye duymuştum."

"Kendimi suçlu hissediyorum. Bunlar bizim değil."

"Neden Otto von Meerbach'ın babandan çaldığı telif hakkı olarak düşünmüyorsun?"

Eva geri çekilip şaşkın şaşkın yüzüne baktı. Gülümsemeye başladı. "Tabii ya! Böyle bakınca tamamen farklı görünüyor." Sonra güldü. "Bu yaklaşımında hiçbir kusur bulamıyorum sevgili Porsuk!"

YAZAR ÜZERİNE

Wilbur Smith, 9 Ocak 1933'de şimdiki adı Zambia olan Kuzey Rodezya'da doğdu. Bugüne kadar 30 roman kaleme alan yazarın kitaplarının tamamı 26 dile çevrilmiş ve tüm dünyada 100 milyondan fazla satış rakamına ulaşmıştır. Yirmi dokuz yaşında yazdığı ilk romanı ile adından söz ettiren yazar, otuz bir yaşında kaleme aldığı *Bencil* (When The Lion Feeds) isimli romanı ile büyük bir başarı elde etmiş ve o günden beri çok satanlar listelerinin vazgeçilmez ismi haline gelmiştir.